Friedrich Dürrenmatt

Achterloo

*Eine Komödie
in
zwei Akten*

Diogenes

Bühnenrechte
Weltvertrieb: Theaterverlag Reiß AG, Bruderholzstraße 39,
CH-4053 Basel.
Vertrieb für Deutschland: Felix Bloch Erben, Verlag für
Bühne, Film, Funk, Hardenbergstraße 6, D-1000 Berlin 12.
Vertrieb für Österreich: Theaterverlag Eirich GmbH,
Lothringerstraße 20, A-1030 Wien.

Erstausgabe

Meiner Frau, die noch
die erste Fassung
lesen konnte.

Inhalt

Achterloo
Eine Komödie

Achterloo

Eine Komödie in zwei Akten

Personen

Napoleon Bonaparte
Louis Bonaparte
Plon-Plon Bonaparte
Generalleutnant Cambronne
Woyzeck
Benjamin Franklin
Kardinal Richelieu
Jan Hus
Robespierre
Marion
Marx I
Marx II
Marx III
Marx IV
Marx V
Lord Tony

Ort der Handlung:
Achterloo in Acherloo irgendwo
bei Waterloo

Zeit: Gegenwart

Geschrieben 1983
Uraufführung im Schauspielhaus Zürich
am 6. Oktober 1983

1. Zur Bühne (Vorschlag): Bühne auf der Bühne. Die Hinterwand der Spielbühne ist transparent und in der natürlichen Farbe von Sackleinen gehalten. Hinter ihr ist die eigentliche Bühne sichtbar, derart eingerichtet, daß der Eindruck entsteht, es handle sich um ein altes Theater, in welchem ein Stück gespielt werde. Vor der Hinterwand der Spielbühne, in der Mitte, das Feldbett Napoleons: olivgrüne Matratze, Kopfende links (vom Zuschauer aus gesehen). Über dem Feldbett ein runder Betthimmel, von dem wie ein Zelt ein schweres, zerrissenes, aber nicht transparentes Leinen herunterfällt, gegen vorne offen. Links davor ein mit rotem Leder bezogener Stuhl. Rechts vom Bett ein auf die Hinterwand gezeichnetes Fenster. Zwischen dem Fenster und dem Bett hängt ein Schlafrock. Rechts vom Fenster die eingerahmte Karte Korsikas. Links neben dem Bett eine Nachtkonsole mit einigen Fotos. An der Wand dahinter ein großes Poster des Darstellers des Generals sowie Fotos anderer Napoleon-Darsteller wie Charles Boyer usw., auch sie transparent. Links vorne ein drehbarer Fernsehsessel, links von ihm ein Tischchen mit einer Sprechanlage und Telefon. Rechts vorne ein Schreibtisch schräg zum Publikum, hinter und vor ihm ein Stuhl, beide wie der vor dem Bett. Die linke Seitenwand wird durch einen großen blaßblauen, ebenfalls transparenten Wandschirm angedeutet. Eine rechte Seitenwand ist nicht nötig. Von der Decke hängen zwei triste Kugellampen. Sie brennen. Zwischen ihnen kann eine Filmleinwand heruntergelassen werden. Durch die Hinterwand dringt Morgendämmerung. Überall Akten, Bücher, auch auf den Stühlen.

2. Zur Inszenierung: Die beiden Diener Napoleons sind durch das ganze Stück sichtbar, bald der eine, bald der andere. Sie verfolgen das Stück als Regisseure, beschäftigen sich auch mit den Requisiten, die benötigt werden, schütteln manchmal den Kopf, wenn ein Text nicht richtig kommt, führen die anderen Schauspieler auf die Spielbühne oder hindern sie am falschen Auftreten usw., doch immer so, daß vom Spiel nicht abgelenkt wird.

Erster Akt

Napoleon in klassischer Uniform und Pose, fett geworden, betrachtet auf der Filmleinwand eine tonlose Videoaufzeichnung der ›Gräfin Waleska‹.

NAPOLEON Ich schau mir die ›Gräfin Waleska‹ an mit Greta Garbo und Charles Boyer. Der Film kam gestern im Fernsehen, und ich ließ ihn aufzeichnen.

Er setzt sich eine randlose Sonnenbrille auf.

NAPOLEON Die Garbo nannte man ›die Göttliche‹, und Goethe sah in mir einen Dämon. Warum ist schleierhaft. Den Ton hab ich abgeschaltet, der Dialog ist mir zu stupid.

Von rechts Plon-Plon und Louis. Beide in Frack mit Kniebundhosen und Kniestrümpfen, Schnallenschuhen und weißen Handschuhen. Plon-Plon mächtig, Louis schmächtig. Beide tragen einen Stapel Herrenmagazine.

NAPOLEON Meine Neffen Louis und Plon-Plon. Charles-Louis Bonaparte ist der jüngste Sohn meines Bruders Louis, den ich zum König von Holland machte, und meiner Stieftochter Hortense Beauharnais.

Louis verneigt sich.

NAPOLEON Er wurde Thurgauer, bernischer Hauptmann der Artillerie, in Thun ausgebildet, und später als

Napoleon III. Kaiser der Franzosen. Plon-Plon, wie immer etwas betrunken.

Plon-Plon verneigt sich.

PLON-PLON An – angesäuselt.

NAPOLEON Er ist der Sohn des Königs von Westfalen, Jérôme, meines jüngsten Bruders, und der Katherina, Prinzessin von Württemberg. Ich liebe deutsches Blut. Ich beschäftige die beiden alten Knacker als Kammerdiener. Ich bin sentimental und nachsichtig geworden.

PLON-PLON Die neuen sa – saftigen Magazine, lieber Onkel.

NAPOLEON Auflage?

LOUIS Dreieinhalb Millionen in Westeuropa, guter Onkel.

NAPOLEON In Nordamerika?

LOUIS Über acht Millionen.

NAPOLEON Das Magazin erweist sich als Riesenknüller.

PLON-PLON Und – und wie, lieber Onkel.

NAPOLEON Niemand weiß, ob es ein sozialistisches oder ein pornographisches Produkt ist.

LOUIS Niemand.

PLON-PLON Kein – kein Mensch.

Beide legen die Herrenmagazine auf den Schreibtisch.

NAPOLEON Unsere einzige Devisenquelle. Dabei plünderte ich einmal ganze Länder leer. Verschwinden!

Louis und Plon-Plon ab.

Napoleon setzt sich in den Fernsehsessel, betrachtet aufs neue die Videoaufzeichnung.

NAPOLEON Unvorstellbar, daß ich je mit der im Bett gelegen bin.

Von links tritt eine Gestalt (ob Weib oder Mann ist nicht auszumachen) in der Uniform eines napoleonischen Generals hinter dem Wandschirm hervor und kräht

CAMBRONNE Me – Me – Me –

Schwenkt den Sessel herum, verschwindet.

NAPOLEON Cambronne. Er war mit mir auf Elba. Dann ernannte ich ihn vor der Schlacht bei Waterloo zum Generalleutnant, Grafen und Pair. Ich war immer großzügig. Er versucht, sich an sein berühmtes Wort zu erinnern.

Von rechts kommt Woyzeck im Kostüm seiner Zeit mit Rasierutensilien.

WOYZECK Rasieren, Herr General.
NAPOLEON Woyzeck. Eine Stunde früher als sonst.

Napoleon stellt den Fernseher mit der Fernbedienung ab.

Das Videobild verschwindet. Die Leinwand rollt sich auf.

WOYZECK Den Hut, Herr General, die Sonnenbrille.

Nimmt Napoleon den Hut und die Sonnenbrille ab, legt beides auf den Schreibtisch neben die Magazine.

WOYZECK Verzeihung, Herr General. Ein dunkler Morgen. Kalt. Der Winter kommt.

Bindet Napoleon das Rasiertuch um.

WOYZECK Und die Freimaurer.
NAPOLEON Langsam, Woyzeck, langsam.
WOYZECK Das hat der Hauptmann auch immer gesagt.

Schlägt Seifenschaum.

NAPOLEON Woyzeck, es schaudert mich, wenn ich
denke, daß sich die Welt an einem Tag herumdreht!
Was für eine Zeitverschwendung!
WOYZECK Das hat der Hauptmann –
NAPOLEON Auch immer gesagt. Das weiß ein jeder,
Woyzeck. Ein jeder weiß das.
WOYZECK Heut sind zwanzig –

Seift Napoleon ein.

NAPOLEON Zwanzig was?
WOYZECK Jahr. Zwanzig Jahr, seit ich den Herr General
rasier.
NAPOLEON Zwanzig Jahr, seit Er der Marie die Kehle
durchschnitten hat, Woyzeck, Er hat keine Tugend!
Er ist kein tugendhafter Mensch.
WOYZECK Das hat der Hauptmann auch –
NAPOLEON Und Er hat den Hauptmann unter dem
Rasiermesser gehabt, Woyzeck, den Hauptmann und
den Tambourmajor, die beide mit der Marie geschlafen
hatten. Beide. Hat Er ihnen die Kehle durchschnitten?
Wenn ich sag Er, so mein ich Ihn, Ihn.

WOYZECK Herr General sind eingeseift.

NAPOLEON Der Marie hat Er die Kehle durchschnitten, Woyzeck. Der Marie.

WOYZECK Nicht mit *meinem* Rasiermesser, Herr General.

NAPOLEON Mit einem Messer, das Er von einem Jud gekauft hat.

WOYZECK Mein Rasiermesser ist mir heilig, Herr General.

NAPOLEON Nicht schwatzen, rasieren.

WOYZECK Jawohl, Herr General.

Rasiert.

NAPOLEON Nichts ist Ihm heilig, Woyzeck, nichts. Vor zwanzig Jahren hab ich Ihn um Mitternacht zum Tod verurteilt, um fünf Uhr morgens begnadigt und zum Scharfrichter ernannt, und – was sag ich – schon um sechs, fix, hat Er dem Chef der Partei die Kehle durchschnitten. Mit Seinem Rasiermesser. Ist das heilig?

WOYZECK Ich rasier Sie ja auch mit meinem Rasiermesser, Herr General.

NAPOLEON Fünfmal hat Er seither einem Chef die Kehle durchschnitten. Einem Chef der Partei, Woyzeck! Fünfmal! Macht fünf Parteichefskehlen, die Er durchschnitten hat. Das ist enorm, Woyzeck.

WOYZECK Jetzt sind Sie der Chef der Partei, Herr General.

Rasiert.

WOYZECK Seit zwei Monaten. Es ist ein Schnitter, der heißt Tod.

NAPOLEON: Nicht schneiden, Schnitter, rasieren.

Von links wieder Cambronne, kräht.

CAMBRONNE La garde meurt –, la garde meurt –

Verschwindet.

NAPOLEON Auch sein zweites Zitat kann Cambronne nicht mehr auswendig.

WOYZECK Herr, wie dein Leib war roth und wund
  So laß mein Herz seyn aller Stund.

NAPOLEON Er ist ein guter Mensch – ein guter Mensch.

WOYZECK Das hat der Hauptmann auch immer gesagt.

Rasiert.

NAPOLEON Aber, Woyzeck, Er hat keine Moral.

WOYZECK Unsereins ist nicht in der Partei, Herr General.

Rasiert.

NAPOLEON Hat Er das neue Magazin gesehen, Woyzeck?

WOYZECK Unsereins schaut sich so was nie an, Herr General. Unsereins hat keine Mannskraft nicht mehr.

NAPOLEON Die Marion ist ein schönes Mädchen, Woyzeck. Er kann stolz auf Seine Tochter sein.

WOYZECK Vielleicht ist sie meine Tochter, Herr General. Vielleicht ist sie die Tochter des Tambourmajors oder des Hauptmanns, Herr General. Sie ist eine Hur wie ihre Mutter, die Marie, Herr General.

Rasiert.

NAPOLEON Er muß endlich Seine Marie vergessen, Woyzeck.

WOYZECK Was kann der liebe Gott nicht, was, Herr General? Das Geschehene ungeschehen machen.

NAPOLEON Zitier Er nicht immer sich selber, Woyzeck. Er macht mir ganz schwindlig.

WOYZECK Robespierre ist gelandet.

Legt das Rasiermesser weg.

WOYZECK After-shave, Herr General?

NAPOLEON Robespierre?

WOYZECK Robespierre.

NAPOLEON Wann?

WOYZECK Vor zwei Stunden.

NAPOLEON Warum ist Er informiert und ich nicht?

WOYZECK Jetzt sind Sie informiert, Herr General.

NAPOLEON Von Ihm und nicht von meinem Geheimdienst. Dunhill.

Fährt sich über den Hals.

NAPOLEON Hat Ihm Fouché, Woyzeck –

WOYZECK Jawohl, Herr General. Fouché hat mir befohlen, Ihre Kehle durchzuschneiden, Herr General. Beim Rasieren. Aber ich bin ein Patriot, Herr General, und Sie sind auch ein Patriot. Fouché ist kein Patriot. Er ist der Zweite Sekretär der Partei. Und wer in der Partei ist, ist kein Patriot. Dunhill.

Reibt ihm Dunhill-After-shave ein.

WOYZECK Sie sind zwar auch in der Partei, Herr General, aber Sie sind ein General, und jeder General ist ein Patriot. Wenn Sie keiner wären, hätt ich. Hätt ich, Herr General, hätt ich.

NAPOLEON Glück gehabt.

WOYZECK Jawohl, Herr General.

Betrachtet Napoleons Kopf.

NAPOLEON Woher hat Er die Nachricht über Robespierre!

WOYZECK Von meiner Tochter, Herr General.

NAPOLEON Er ist bei der Marion?

WOYZECK Vom russischen Militärflughafen direkt, Herr General.

NAPOLEON Dann wird er auch bei mir aufkreuzen.

WOYZECK Erst am Nachmittag. Der Chefideologe wird sich ausruhen müssen. Hier noch, Herr General.

Nimmt eine kleine Schere.

WOYZECK In Ihren Nasenlöchern.

Macht sich an ihnen zu schaffen.

WOYZECK Ich denk immer an Vogelnester, schneid ich in Ihren Nasenlöchern herum.

Tritt zurück.

WOYZECK Fertig, Herr General.

NAPOLEON Er ist ein guter Mensch, Woyzeck, ein guter
Mensch. Aber Er denkt zuviel, das zehrt. Er sieht
immer so verhetzt aus. Geh Er jetzt zu Fouché, Woyzeck.

Woyzeck packt seine Rasierutensilien zusammen.

WOYZECK Ich komm doch schon von Fouché, Herr General.

NAPOLEON Macht nichts, Woyzeck, macht nichts. Rasier
Er ihn.

WOYZECK Er hat sich schon rasiert, Herr General. Elek-
trisch.

NAPOLEON Nicht sauber genug, nicht gründlich genug.
Nicht für immer, Woyzeck.

Louis von rechts.

LOUIS Benjamin Franklin, guter Onkel.

NAPOLEON Rein mit ihm.

Louis ab.

Napoleon erhebt sich, reckt sich.

NAPOLEON Müd, Woyzeck, müd. Die Nacht eine Be-
sprechung nach der andern, und nun noch der Amerikanische Botschafter.

*Zieht den Rock aus, wirft ihn hinten aufs Bett, setzt sich
wieder.*

NAPOLEON Geh Er jetzt rasieren, Woyzeck. Langsam, hübsch langsam die Straße hinunter.

WOYZECK Wie hell! Über der Stadt ist alles Glut! Ein Feuer fährt um den Himmel und ein Getös herunter wie Posaunen.

Geht nach rechts ab, am eintretenden Benjamin Franklin vorbei, der ihm nachstaunt.

FRANKLIN Der dichtet ja.

Erblickt Napoleon, erschrickt.

NAPOLEON Hei, Benjamin! Sie kommen in aller Herrgott: frühe! Ich bin dabei, mich in: Bett zu legen. Al: Politiker leb ich in verkehrter Reihenfolge: Arbeit, Frühstück, Schlaf; für den ist der Vormittag da.

Franklin starrt Napoleon entgeistert an.

NAPOLEON Was haben Sie denn?
FRANKLIN Ich – ich –

Stammelt.

FRANKLIN Ich bin völlig konsterniert.
NAPOLEON Funktioniert der Blitzableiter nicht mehr, den Sie erfunden haben wollen?
FRANKLIN Das war doch der Scharfrichter!
NAPOLEON Mein Barbier.
FRANKLIN Der sollte doch –
NAPOLEON Mein Barbier bleibt mein Barbier.

FRANKLIN Und ich bin gekommen, Ihre Leiche zu besichtigen.

NAPOLEON Tut mir leid.

FRANKLIN Fouché?

NAPOLEON Wird jetzt rasiert.

FRANKLIN Ich bin noch immer perplex.

NAPOLEON Beruhigen Sie sich. Im großen ganzen sind Ihre Informationen ja richtig. Woher stammen sie denn?

FRANKLIN Von ihr. Marion.

Hebt ein Herrenmagazin hoch.

NAPOLEON Das Biest schläft auch mit jedem.

FRANKLIN Leider segelt meine Gattin übermorgen über den Teich herüber.

Setzt sich auf den Schreibtisch rechts außen.

Louis von rechts.

LOUIS Darf serviert werden?

NAPOLEON Halten Sie mit, Benjamin?

FRANKLIN Mit Vergnügen, Napoleon. Gut gefrühstückt –

NAPOLEON Bitte, Benjamin, kein Sprichwort.

FRANKLIN Ich hab doch noch gar keines –

NAPOLEON Trotzdem nicht.

FRANKLIN Na schön.

NAPOLEON Ein Gedeck mehr.

Plon-Plon schiebt einen Servierwagen mit Frühstück zu Napoleon.

LOUIS Das Frühstück, guter Onkel.

Ab.

PLON-PLON Der Em –, der Emmentaler –

Nimmt ungeniert eine Schnapsflasche vom Servierwagen, trinkt.

PLON-PLON Ist – ist noch nicht eingetroffen.
NAPOLEON Plon-Plon, nicht schwindeln. Du hast ihn selber gefressen.

Louis bringt ein zweites Gedeck.

LOUIS Das zweite Gedeck, bitte sehr.

Louis und Plon-Plon ab.

Franklin bemerkt, daß er sich auf Napoleons Hut gesetzt hat.

FRANKLIN Oh, Pardon. Ich saß auf Ihrem Hut, Napoleon. Und beinah auf Ihrer Brille.
NAPOLEON Macht nichts.
FRANKLIN Bitte.

Reicht Napoleon den Hut.

NAPOLEON Danke. Die Brille brauche ich nicht.

Setzt sich den Hut auf.

Franklin schaut sich verlegen um.

NAPOLEON Kippen Sie die Akten auf den Boden.

Franklin läßt die Akten vom Stuhl vor dem Schreibtisch rutschen, setzt sich.

NAPOLEON Was hat Ihr Präsident wieder Schlaues vor?
FRANKLIN Sie sollten unseren Präsidenten politisch nicht unterschätzen.
NAPOLEON Schauspieler sollten nicht Präsidenten spielen.
FRANKLIN Einer eurer Präsidenten war Klavierspieler.
NAPOLEON Er spielte scheußlich. Aber Chopin, nicht Weltpolitik. Greifen wir zu. Tee?
FRANKLIN Anständig?
NAPOLEON Vom Chinesischen Botschafter.
FRANKLIN Ihre Politik wird riskant.

Napoleon gießt zwei Tassen Tee ein.

NAPOLEON Lachs? Kaviar? Russische Eier? Geräucherte Forelle?
FRANKLIN Es geht in Ihrer Kaserne lukullisch zu.
NAPOLEON Sie erwarteten ja auch ein Henkersmahl.

Schiebt Franklin den Wagen zu.

Sie frühstücken.

FRANKLIN Über dem Teich ist man hochbesorgt.
NAPOLEON Darüber sind wir hochbesorgt. Parma-schinken.

Franklin schiebt Napoleon den Wagen zu.

FRANKLIN Wären wir nicht um Ihr Land besorgt, wäret ihr schon längst besetzt.

NAPOLEON Ich fürchte mich vor dieser Gefahr weniger als vor euren schlechten Nerven. Arteriosklerotiker stehen Hysterikern gegenüber.

Schiebt Franklin den Wagen zu.

FRANKLIN Unser Präsident wollte Fouché einen Nichtangriffspakt anbieten.

NAPOLEON Ihm?

FRANKLIN Ich meldete, Sie seien gestürzt.

Schiebt Napoleon den Wagen zu.

NAPOLEON Voreilig.

FRANKLIN Weiß der Teufel.

NAPOLEON Drüben ist jetzt tiefste Nacht?

FRANKLIN Halb zwei.

NAPOLEON Ihre Morgenblätter und das Fernsehen werden meinen Sturz und das Angebot Ihres Präsidenten bekanntgeben.

FRANKLIN Der Präsident wird das Angebot auch Ihnen unterbreiten.

Napoleon schiebt Franklin den Wagen zu.

NAPOLEON Ich glaube nach und nach, Ihr Präsident sei einmal auch ein dilettantischer Kunstmaler gewesen.

FRANKLIN Napoleon, ich muß doch sehr bitten.

Schiebt Napoleon empört den Wagen zu.

NAPOLEON Ich denke an Churchill, Benjamin.

FRANKLIN Churchill?

Denkt nach.

FRANKLIN Ach ja. Der malte auch. Nein, an Churchill kommt er nicht heran.

NAPOLEON Trotzdem. Alle Staatsmänner mit künstlerischen Ambitionen –

FRANKLIN Ich begreife nicht, weshalb Sie sich ärgern, Napoleon. Sie haben mit dem Angebot des Präsidenten einen kolossalen Trumpf zugespielt bekommen.

NAPOLEON Jemand anders hat einen kolossalen Trumpf zugespielt bekommen. Wird sein Angebot bekannt, werden wir morgen besetzt. Zwischen uns und unserem Nachbar liegt kein Teich.

FRANKLIN Verdammt, Napoleon, Sie haben recht.

NAPOLEON Noch Tee?

FRANKLIN Ich brauche einen Schnaps.

Napoleon schiebt Franklin den Wagen zu.

FRANKLIN Ich setze mich mit unserem Außenminister in Verbindung. Hoffentlich hat unser Verteidigungsminister nicht schon gequatscht.

NAPOLEON Von dem wird ohnehin die Schnapsidee stammen.

Franklin stürzt den Schnaps hinunter, erhebt sich.

FRANKLIN Die Absichten unseres Präsidenten sind falsch interpretiert worden.

NAPOLEON In der Politik leuchten die faulsten Ausreden am besten ein.

FRANKLIN See You, Napoleon.

Schiebt Napoleon den Wagen zu.

NAPOLEON Bye, bye, Benjamin.

Franklin nach rechts ab.

Napoleon gießt sich wieder Tee ein, denkt nach, wirft den Hut ins Publikum.

NAPOLEON Ein blödsinniger Hut.

Von rechts Louis.

NAPOLEON Bereite das Bad vor, Louis.

LOUIS Kardinal Richelieu, guter Onkel.

NAPOLEON Ich werde diesen morgen überfallen. Soll kommen.

LOUIS Der Kardinal ist im Ornat, guter Onkel.

NAPOLEON Hilf mir in den Rock.

Erhebt sich.

Louis holt den Rock vom Bett, hilft ihm hinein.

NAPOLEON Die Brille. Den Hut.

Louis findet die Brille, sucht weiter.

LOUIS Finde den Hut nicht, guter Onkel.

NAPOLEON Schmiß ihn ins Publikum.

Tritt an die Rampe.

LOUIS Darf ich bitten, daß mir jemand den Hut –

Der Hut wird ihm hinaufgereicht.

LOUIS Vielen Dank.

Geht zu Napoleon.

LOUIS Die Brille, guter Onkel, der Hut.
NAPOLEON Setz ihn mir auf.

Louis setzt ihm den Hut auf.

NAPOLEON Sitzt er?

Louis tritt zurück, betrachtet Napoleon, tritt noch einmal heran, rückt am Hut.

LOUIS Jetzt, guter Onkel.

Napoleon steht in seiner historischen Pose da.

NAPOLEON Ein Magazin.

Louis reicht Napoleon ein Herrenmagazin.

NAPOLEON Rein mit ihm.

Louis ab.

Napoleon blättert im Vordergrund im Magazin.

Richelieu kommt von rechts, gekleidet nach dem bekannten Porträt Champaignes. (Er wird von einer Frau gespielt.)

RICHELIEU Napoleon Bonaparte.
NAPOLEON Armand-Jean Du Plessis. Ich bin dabei, mich schlafen zu legen.
RICHELIEU Stört mich nicht.
NAPOLEON Bleich, Richelieu.
RICHELIEU Wieder einmal Fieber. Sie sehen gesund aus.

Von links taucht Cambronne auf.

NAPOLEON Überrascht? Ich bin fett geworden und alt. Ich bin seit zwei Monaten Staatschef, und Sie besuchen mich zum ersten Mal.

Cambronne steht plötzlich vor Richelieu, kräht.

CAMBRONNE Amen! Amen!

Verschwindet.

RICHELIEU Das war doch Cambronne.
NAPOLEON Das war auch Cambronne.
RICHELIEU Der sagt doch »merde«.
NAPOLEON Er ist textunsicher.

Richelieu sieht sich um.

RICHELIEU Sie sind noch nicht ins Staatspalais übergesiedelt, Bonaparte?

NAPOLEON Ich bin an diese Bude gewöhnt.

RICHELIEU Kärglich.

NAPOLEON Früher ein Arrestloch für Offiziere. Alles da, was ich brauche: Feldbett, Schreibtisch, Telefon, Fernseher, Videogerät, aufrollbare Filmleinwand, hinter dem Wandschirm Bad und Toilette.

Weist auf den Wagen.

NAPOLEON Tee? Schnaps? Toast? Butter? Lachs? Kaviar?

Blättert im Magazin weiter.

RICHELIEU Das Volk hungert.

NAPOLEON Wir stehen vor dem puren Chaos.

RICHELIEU Das neuste Magazin?

NAPOLEON Toll, nicht?

Zeigt auf ein zweiseitiges Aktbild Marions im Magazin, das er Richelieu reicht.

RICHELIEU Ein Wunderwerk der Natur.

Blättert im Magazin.

RICHELIEU Eine geniale Idee. Mit Hilfe dieses Magazins verbreitet Hus seine politischen Ziele. Die Freie Gewerkschaft ist die populärste Arbeiterbewegung der Welt geworden. Das hätten Sie verhindern sollen, Bonaparte. Die gefährlichsten Pfeile sind die vergifteten. Die mit Pornographie vergifteten Pfeile.

NAPOLEON Der Staat ist pleite, Milliarden Schulden im Westen, keine Hilfe vom Osten. Nur das Magazin bringt Devisen. Wir sind das einzige sozialistische Land, das nicht prüde ist, und diese Chance muß ausgenutzt werden.

RICHELIEU Damit rechnet Hus, und er rechnet gut. Er ist ein Reformator. Will er heute die Partei reformieren, wird er morgen die Kirche zu reformieren suchen. Ich kenne den Ketzer. Schon in Konstanz versuchte ich, dieses faule Holz abzuhauen und zu verbrennen, damit die Fäulnis nicht den ganzen Stamm anstecke. Das Feuer loderte vergebens. Der Stamm ist angesteckt. Wir sind beide hilflos. Ihnen sind die Hände wirtschaftlich gebunden, Bonaparte, und mir religiös gefesselt. Exkommuniziere ich Marion und setz das Magazin auf den Index, ist die Kirche politisch erledigt.

Legt verärgert das Magazin auf den Schreibtisch zurück.

RICHELIEU Er fordert in seinen Leitartikeln freie Wahlen.

NAPOLEON Ich les nie seine Leitartikel. Zu schlecht geschrieben.

RICHELIEU Sprengstoff benötigt keinen Stil. Ich kenne Sie, Bonaparte, aber ich durchschaue Sie nicht. Sie spielen den Sorglosen, und dabei haben Sie Robespierre auf dem Hals. Der Advokat von Arras wird heute nachmittag eintreffen.

NAPOLEON Seine Ankunft ist ein Staatsgeheimnis.

RICHELIEU Und?

NAPOLEON Sie wissen es, Richelieu.

RICHELIEU Wußten Sie's?

NAPOLEON Ich bin der Partei- und Staatschef.

RICHELIEU Wie lange noch?

NAPOLEON Wer spielte Ihnen die Nachricht zu?

RICHELIEU Nebensächlich.

NAPOLEON Setzen wir uns.

Napoleon setzt sich in den Fernsehsessel, wirft den Hut auf den Stuhl, auf dem Franklin saß, legt die Brille auf die Sprechanlage.

Richelieu betrachtet die Karte zwischen den Fenstern.

RICHELIEU Korsika.

NAPOLEON Ich bin ein Korse geblieben.

Richelieu betrachtet die Fotos auf der Konsole.

RICHELIEU Josephine Beauharnais.

NAPOLEON Ich hätte mich von ihr nicht scheiden lassen sollen.

RICHELIEU Marie-Louise –

NAPOLEON Die Habsburgerin war eine Kuh.

RICHELIEU Die Waleska?

NAPOLEON Greta Garbo.

RICHELIEU Die Poster an der Wand?

NAPOLEON Die Schauspieler, die mich dargestellt haben. Meines ist das beste.

Zieht den linken Stiefel aus.

RICHELIEU Ich zweifle, Bonaparte, ob Sie heute noch ins Bett kommen. Die immer extremeren Forderungen der Freien Gewerkschaft, die wütenden Angriffe gegen

Hus in den russischen Zeitungen, die Ankunft Robespierres –

NAPOLEON Zur Sache, Richelieu.

Zieht den rechten Stiefel aus.

RICHELIEU Ich hab nicht resigniert wie Sie, Bonaparte.

NAPOLEON Ihr Metier ist dasselbe geblieben.

RICHELIEU Ich hab mein Ziel nicht aufgegeben. Aber es hat weltweite Dimensionen angenommen.

NAPOLEON Ein solches Ziel hatt ich auch einmal.

Richelieu nimmt den Hut vom Stuhl, setzt sich.

RICHELIEU Unvollkommen. Sie wollten Europa mit dem bürgerlichen Pack Ihrer Spaghetti-Dynastie einigen, geschminkt mit ›Freiheit, Gleichheit und Brüderlichkeit‹. Läppisch. Sie schürten gleichzeitig zwei Feuer: die Demokratie und die Despotie. Das Resultat? Die Reaktion auf beide: die Freiheitskriege mit ihren Hoffnungen und die Restauration mit ihren Enttäuschungen: der Nationalismus endlich, der Europa endgültig zerfetzte.

Napoleon erhebt sich.

NAPOLEON Scheiße.

RICHELIEU Jetzt zitieren Sie Cambronne. Wenn auch auf deutsch.

NAPOLEON Klingt besser.

Wirft die Stiefel nach rechts hinaus.

Scherbengeklirr.

NAPOLEON Ich soll womöglich noch die beiden Welt-
kriege bewirkt haben!

RICHELIEU Warum nicht?

NAPOLEON Das werfen Sie mir vor?

RICHELIEU Seelenruhig.

Spielt gedankenverloren mit dem Hut Napoleons.

NAPOLEON Historisch sind Sie als Staatsmann nach Strich
und Faden gescheitert.

RICHELIEU Nur stilvoller als Sie. Ich prägte ein Zeitalter,
Sie sind eine Episode.

*Napoleon zieht den Rock und die Weste aus, legt beides
auf den Stuhl vor dem Bett.*

RICHELIEU Ich schuf den absoluten Staat mit einem allein-
herrschenden König und mit einer Kirche, um einen
Kulturstaat zu formen, und Sie krönten sich zum
Kaiser, um mich zu übertrumpfen. Ich herrschte nicht,
ich ließ den König herrschen. Sie wollten Herrscher
und Richelieu zugleich sein. Sie waren nichts als eine
maßlos übertriebene Kopie meiner selbst.

Napoleon verschwindet hinter dem Wandschirm.

RICHELIEU Zugegeben, jetzt sind wir beide marode. Die
Menschen brauchen einen eisernen Käfig, sonst werden sie gemeingefährlich. Nichts schadet der Menschheit mehr als Menschlichkeit. Die Käfige, die wir
bauten, waren zu schwach.

*Hinter dem Wandschirm werden Hemd, Hose, Unter-
wäsche ins Zimmer geworfen.*

RICHELIEU Wir sind beide schuldig, aber Hus ist schuldi-
ger als wir, auch wenn er nur einer unter den Ketzern
ist. Als Gott die Welt schuf, schuf er auch die
Schlange. Auf die Schlange folgte Kain. Die Reihe
brach nie ab, gleichgültig, ob sie religiöse oder politische Ketzer waren, gleichgültig, auf welchem Scheiterhaufen sie verbrannten oder an welche Wand man sie
auch stellte.

*Napoleon kommt im Nachthemd hinter dem Wandschirm
hervor.*

NAPOLEON Ich war auf Sankt Helena.
RICHELIEU Na und? Ich kann mir Ihre Nostalgie nicht
leisten. Heute sind wir in der Lage, den ausbruchsiche-
ren Käfig zu konstruieren. Die Kirche ist etwas Absolutes, und die Partei ist etwas Absolutes. Beide denken
global.

Napoleon setzt sich wieder in den Fernsehsessel.

RICHELIEU Die Kirche und die Partei müssen miteinander
verschmelzen, der Vatikan und der Kreml sich verei-
nen, das Hirtenamt des Papstes und jenes des Ersten
Sekretärs der Kommunistischen Partei sich in einer
Person verkörpern. Die Partei hat ihren Atheismus
aufzugeben und sich einer Kirche unterzuordnen, die
marxistisch geworden ist. Zum absoluten Weltstaat ist
weder die heutige Kirche noch die heutige Partei,
sondern nur eine katholisch-marxistische alleinselig-

machende Kirche fähig. Mein Ziel. Ich erlebe es nicht mehr, aber ich bereite es vor. Der Mensch braucht Gerechtigkeit im Diesseits und Gnade im Jenseits. Die Gerechtigkeit im Diesseits ist nur ohne Freiheit möglich, und die Gnade im Jenseits nur durch die Freiheit Gottes. Er wird auch uns beiden gnädig sein. Allein die Ketzer sind auf ewig verdammt. Wer die Freiheit im Diesseits wünscht, fällt der Gerechtigkeit im Jenseits anheim: der Hölle.

Starrt verwundert auf den Hut in seinen Händen.

RICHELIEU Ihr Hut, Bonaparte.

Gibt ihm den Hut.

RICHELIEU Heute abend treff ich Robespierre.
NAPOLEON Falls er für Sie zu sprechen ist.

Setzt gedankenverloren den Hut auf.

RICHELIEU Das Treffen wurde vor einer Woche zwischen Bischof Zabarella und Botschafter Molotow arrangiert.
NAPOLEON Wo haben sich denn die beiden kennengelernt?
RICHELIEU Bei der schönen Marion.
NAPOLEON Drum sind Sie im Bilde.
RICHELIEU Das Wunderwerk ist auch der Kirche nützlich. Mit Fouché hab ich mich geeinigt. Der akzeptiert die Neutralität der Kirche. Ich muß auch Robespierre dazu bringen. Ein schwierigeres Unterfangen. Ich werde ihn an seine Vergangenheit erinnern: Er gab die Existenz eines höchsten Wesens zu.

Erhebt sich, zieht ein Brevier hervor, tritt feierlich zu Napoleon.

RICHELIEU Bonaparte, es gibt für Sie kein Sankt Helena mehr. Darf ich die letzte Beichte –

Von rechts Hus in einem Arbeiterkleid wie Lech Walesa. Er trägt auf dem Kopf den mittelalterlichen Ketzerhut aus Papier mit Teufeln bemalt.

HUS Napoleon, ich –

Stutzt.

HUS Richelieu. Verdammt. Heilige Jungfer Marie!
RICHELIEU Sie stören eine heilige Handlung, Jan Hus.
NAPOLEON Ich bin dabei, in die Klappe zu gehen, Jan Hus.

Von rechts Louis.

LOUIS Hus ließ sich nicht aufhalten, guter Onkel.
NAPOLEON Schwatz nicht, Louis. Den Schlafrock.

Erhebt sich.

LOUIS Sehr wohl, guter Onkel.

Nimmt den Schlafrock, der rechts vom Bett hängt.

NAPOLEON Sie sind schon der dritte Besucher, der mich heute morgen stört, Hus. Draußen ist es fast taghell.

Louis hilft Napoleon in den Schlafrock.

NAPOLEON Die Stiefel.

LOUIS Die haben Sie in die Vitrine mit dem Meißner Porzellan geschmissen, guter Onkel.

NAPOLEON Geschenk vom Erich.

LOUIS Sie haben noch den Hut auf, guter Onkel.

NAPOLEON Ach so. Nimm ihn mit.

Louis mit Hut ab.

NAPOLEON Schnaps? Toast? Butter?

HUS Das Volk hungert.

NAPOLEON Das hat schon Richelieu festgestellt.

RICHELIEU Wir stehen vor dem puren Chaos.

Steckt ärgerlich das Brevier wieder ein.

HUS Geräucherte Forelle, Lachs, Kaviar, kaltes Huhn, Parmaschinken.

Beugt sich über den Servierwagen.

NAPOLEON Greifen Sie zu.

HUS Ich muß essen. Wenn ich so'ne Menge Speisen seh, muß ich essen.

Schiebt den Wagen zum Stuhl vor dem Bett, setzt sich, greift nach den Speisen, beginnt zu essen.

NAPOLEON Sie sitzen auf meinen Kleidern, Hus.

HUS Wenn schon.

Ißt weiter.

RICHELIEU Sind wir uns nach Konstanz nicht noch
  irgendwo begegnet?
HUS Erinnern Sie sich nicht?
RICHELIEU Nein.
HUS Dann nicht.

Ißt.

HUS Der Parteiideologe Robespierre landet heute nach-
  mittag.
NAPOLEON Wissen wir auch.
HUS Fouché wird Regierungschef.
RICHELIEU Wissen wir auch.
HUS Jeder weiß schon alles!
NAPOLEON Das Natürlichste in einem Land, wo alles
  geheim ist.
HUS Tauchen Sie unter, Napoleon.

Langt weiter zu, dann endlich, kauend

HUS Eine Adresse.

Gibt Napoleon einen Zettel.

HUS Dort sind Sie sicher.
NAPOLEON Hier bin ich sicher.

Steckt den Zettel ein.

HUS Sie hocken in einer Mausefalle, Napoleon. Sie lassen
  sich in Ihrer Kaserne so nachlässig bewachen, daß es
  zugeht wie in einer Bahnhofshalle.

Ißt.

NAPOLEON Das ist mir auch schon aufgefallen.
HUS Woyzeck kommt heut zu Ihnen.

Ißt.

NAPOLEON Er rasiert mich jeden Morgen.

Setzt sich wieder.

HUS Heut rasiert er Sie zum letzten Mal.

Ißt.

HUS Sehn Sie, das wissen Sie nicht.

Ißt.

RICHELIEU Und Sie von Gott verlassener Ketzer hindern
    Napoleon Bonaparte am Beichten?
NAPOLEON Regen Sie sich nicht auf, Richelieu. Woyzeck
    ist schon bei mir gewesen.

Schweigen.

Napoleon nickt.

RICHELIEU Mit Ihrem Nicken ist uns nicht gedient, Bona-
    parte.
NAPOLEON In meinem Fall ist Nicken eine Antwort.
RICHELIEU Aber Fouché –

NAPOLEON Kann nicht mehr nicken.
HUS Hat Woyzeck ihn –?
NAPOLEON Woyzeck ist ein Patriot. Er glaubt, ich sei
auch einer.

Schweigen.

NAPOLEON Fouché ist für Woyzeck keiner.

Draußen Chopins Trauermarsch.

NAPOLEON Sie bringen ihn schon.
RICHELIEU Ich gehe.
NAPOLEON Wollen Sie Fouchés Leiche besichtigen?
RICHELIEU Ich will Sie nicht hindern, sich schlafen zu
legen, Bonaparte. Ich kehre in den erzbischöflichen
Palast zurück.
NAPOLEON Langsam, hübsch langsam. Ihr Diskurs hat
mich ganz angegriffen. Ein Zitat, Kardinal, ein Zitat.

Richelieu ab.

Hus ruft ihm nach

HUS Adieu!

Schiebt den Wagen von sich.

HUS Für den bin ich Dreck.
NAPOLEON Du gibst das Magazin heraus.
HUS Die Priester reißen sich darum.

Napoleon in die Sprechanlage.

NAPOLEON Abräumen.

Geht zum Fenster, schaut in den Hof hinunter.

Immer noch die Trauermusik.

NAPOLEON Sie bahren Fouché für das Volk auf.
HUS Den besichtigt niemand.

Plon-Plon und Louis kommen.

HUS Was ihr beide hier zum Frühstück aufgetrieben
habt, war gewaltig.
LOUIS Beziehungen.
HUS Napoleon verstand es immer, Europa auszuplün-
dern.
PLON-PLON Vom – vom Delikatessen-Mauler in Zürich
geliefert.

*Plon-Plon und Louis schieben den Wagen nach rechts
hinaus.*

Hus kommt nach vorne.

HUS Richelieu trifft sich heut abend mit Robespierre.
NAPOLEON Du bist ja auch ganz schön informiert.
HUS Zabarella ist auf meiner Seite.

Setzt sich in den Fernsehsessel.

NAPOLEON In Konstanz war er Untersuchungsrichter.
HUS Die Menschen ändern sich.
NAPOLEON In diesem unserem Lande verrät ein jeder
jeden.

Kommt nach vorne.

NAPOLEON Nimm endlich deinen komischen Hut ab.
HUS Einen Ketzerhut nimmt man nicht ab. Ich trug ihn in Konstanz auf der Scheiterbeige.

Setzt sich hinter den Schreibtisch.

NAPOLEON Was hat die Freie Gewerkschaft beschlossen?
HUS Die Sitzung hat die ganze Nacht gedauert.
NAPOLEON Und?
HUS Die Freie Gewerkschaft hat mit deinem Sturz gerechnet.
NAPOLEON Sie hat sich verrechnet.

Hus stopft sich eine Pfeife.

HUS Die Regierung hat die Legalität der Freien Gewerkschaft vertraglich bestätigt. Fouché hätte die Bestätigung zurückgenommen. Diese Gefahr hast du beseitigt. Aber die Schwierigkeiten bleiben.
NAPOLEON Im Vertrag steht, daß du dich nicht politisch betätigen willst.
HUS Ich halte mich daran.
NAPOLEON Ich halte mich auch an den Vertrag.
HUS Die Verhaftungen nehmen zu.

Zündet sich die Pfeife an.

NAPOLEON Ich verhafte nur, wer sich politisch gegen mich wendet.
HUS Ich verlange eine Wirtschaft, die funktioniert, genü-

gend Lebensmittel für die Bevölkerung, gerechtere
Löhne.

NAPOLEON Freie Wahlen.

HUS Die sind von der Verfassung garantiert.

NAPOLEON Du stellst politische Forderungen.

HUS Ich stelle selbstverständliche Forderungen.

NAPOLEON Auch selbstverständliche Forderungen sind
bei uns politisch.

HUS Was hat bei uns nicht eine politische Bedeutung?
Furzen: daß die Partei stinkt; Gähnen: daß der Marxismus langweilig ist; Bumsen mit Pariser: daß man nicht
mehr an den Sieg des Proletariats glaubt; Bumsen ohne
Pariser: daß man einen Revisionisten zeugen will.

Pafft vor sich hin.

HUS Ich kann nicht schweigen, wenn Studenten und
Dissidenten in den Gefängnissen verschwinden.

NAPOLEON Wer bei uns nicht schweigt, raucht auf dem
Gelände einer Pulverfabrik. Du hast dermaßen ge-
schlotet, daß jetzt Robespierre aufgetaucht ist. Und
der ist schlimmer als Fouché.

Draußen schweigt die Trauermusik.

HUS Der Trauermarsch ist zu Ende.

NAPOLEON Dein Optimismus ist sträflich.

HUS Diese Nacht hat die Freie Gewerkschaft beschlossen, morgen den Generalstreik auszurufen.

NAPOLEON Dann greifen sie ein.

HUS Sie wagen's nicht.

NAPOLEON Sie müssen eingreifen. Ihre Ideologie zwingt
sie dazu.

HUS Das Risiko ist zu groß.

NAPOLEON Du stehst Dogmatikern gegenüber.

HUS Die können mir mit ihren Dogmen den Arsch wischen.

NAPOLEON Du bist immer noch so leichtsinnig wie damals in Konstanz.

HUS Du bist ebenso leichtsinnig gewesen, als du den britischen Kreuzer ›Bellerophon‹ bestiegen hast.

Beide erheben sich.

NAPOLEON Jan Hus, du bist unverbesserlich.

HUS Du stehst auf meiner Seite. Du bist mein Freund.

Umarmt Napoleon.

HUS Du wirst mich nicht verraten, wie mich Kaiser Sigismund verraten hat.

NAPOLEON Wir müssen vermeiden, was vermieden werden kann. Keine Provokationen und Deklarationen mehr.

Hus legt die Pfeife zur Sprechanlage.

NAPOLEON Keinen Generalstreik, und Schluß mit deinen Artikeln.

HUS Die Freie Gewerkschaft läßt sich nicht mehr zügeln.

NAPOLEON Du hast sie zu zügeln.

Draußen Trauermarsch.

HUS Wieder der Trauermarsch. Ich geh ins Bett.

Von rechts Louis.

LOUIS Robespierre.
NAPOLEON Verflixt. Der Chefideologe.
LOUIS Er verneigt sich vor der Leiche Fouchés.
NAPOLEON Statt mit Marion zu schlafen, wird er sie verhaftet haben.

Plon-Plon kriecht von rechts auf allen vieren herein.

PLON-PLON Er – er – Ro – Ro – Robespierre kommt her – her – herauf!

Beginnt die Marseillaise zu singen.

PLON-PLON Allons, enfants de la patrie –

Hört abrupt auf.

NAPOLEON Hinter den Wandschirm.

Hus geht hinter den Wandschirm, läßt seine Pfeife bei der Sprechanlage.

NAPOLEON Plon-Plon, Louis, ankleiden!

Geht mit Louis hinter den Wandschirm.

Plon-Plon sammelt torkelnd die Kleider ein, singt die Marseillaise weiter.

PLON-PLON Le jour de gloire est arrivé
    Contre nous de la tyrannie –

Hört abrupt auf.

Von rechts wankt Robespierre herein, setzt sich auf den Stuhl vor dem Bett. Er ist ein winziger verschrumpfelter Greis in der Kleidung Robespierres, Brille auf die Stirn geschoben, und kann auch von einem Mädchen gespielt werden.

ROBESPIERRE Die sogenannte Revolution ist noch nicht fertig; wer eine Revolution zur Hälfte vollendet, gräbt sich selbst ein Grab.

Plon-Plon verschwindet torkelnd hinter dem Wandschirm.

Robespierre läßt sich nicht stören.

ROBESPIERRE Jan Hus ist keineswegs ein Angeklagter. Ich bin keineswegs Richter. Ich bin und kann nur ein Repräsentant des Proletariats sein. Ich habe keineswegs ein Urteil für oder gegen einen Menschen zu fällen, sondern einen Akt jenes dialektischen Prozesses auszuführen, den man die Weltgeschichte nennt.

Hinter dem Wandschirm kommt Hus nach vorn, zur Sprechanlage, nimmt die Pfeife, zündet sie wieder an, geht nach rechts hinaus.

Robespierre läßt sich nicht stören.

ROBESPIERRE Ein entlarvter Revisionist ist in einer sozialistischen Republik nur zu zwei Dingen gut: entweder die Ruhe der Republik zu stören und die Freiheit zu erschüttern oder beide zugleich zu befestigen. Wenn man der Welt seine Probleme als Schwächen hinstellt, wenn man seine Sache zum Gegenstand einer feierlichen Diskussion stempelt –

Hinter dem Wandschirm stürzt Louis hervor, rennt über die Bühne nach rechts hinaus.

Robespierre läßt sich nicht stören.

ROBESPIERRE So erreicht man damit nur, daß der Revisionist noch einmal zu einer Gefahr für die Freiheit wird. Jan Hus ist Revisionist, und die sozialistische Republik ist gegründet.

Von rechts rennt Louis mit den beiden Stiefeln und dem Hut Napoleons wieder nach links hinter den Wandschirm.

Robespierre läßt sich nicht stören.

ROBESPIERRE Damit sind die Fragen bereits entschieden. Jan Hus hat durch seine Verbrechen die Partei verlassen. Er hat, um sie zu züchtigen, die Heere der ausländischen Agenten herbeigerufen.

Hinter dem Wandschirm kommen Plon-Plon und Louis hervor. Plon-Plon nimmt Robespierre auf die Arme, trägt ihn schwankend herum. Louis verschwindet mit Rock und Weste Napoleons hinter dem Wandschirm.

Robespierre läßt sich nicht stören.

ROBESPIERRE Hus kann aber nicht gerichtet werden. Er ist schon verurteilt, oder die sozialistische Republik ist nicht freigesprochen. Vorzuschlagen, daß man Jan Hus den Prozeß macht, heißt, die Revolution selbst in Frage zu stellen. Denn wenn das Schicksal eines Revisionisten noch zum Gegenstand einer Gerichtsver-

handlung werden kann, dann kann er freigesprochen
werden, kann er unschuldig sein, dann sind die Partei,
das Volk der Hauptstadt, alle Patrioten des Landes
schuldig.

*Plon-Plon stellt Robespierre aufs Bettende, schwankt
nach rechts hinaus.*

*Robespierre läßt sich nicht stören. Er steht auf dem Bett
wie ein Volkstribun.*

ROBESPIERRE Und der große Prozeß zwischen Verbrechen und Tugend, den wir vor dem Tribunal der
Weltgeschichte anhängig gemacht haben, endet mit
dem Sieg des Verbrechens und des Faschismus.

Von rechts kommt Marion in Blue Jeans-Kleidung.

*Nach ihr tritt der Lord auf, elegant modisch gekleidet,
behangen mit Kameras, ständig fotografierend.*

Robespierre läßt sich nicht stören.

ROBESPIERRE Ich beantrage, daß die Partei Hus unverzüg-
lich zum Verräter an der sozialistischen Republik, zum
Verbrecher an der Menschheit erklärt. Ich beantrage,
daß man ein großes Exempel statuiert, und daß man
dieses denkwürdige Ereignis durch ein Monument ver-
ewige, dazu bestimmt, in den Herzen der Völker den
Abscheu vor den Revisionisten ...

Fällt nach hinten auf das Bett und bleibt unbeweglich.

Plon-Plon nach rechts ab.

Hinter dem Wandschirm kommt Napoleon hervor, wieder angekleidet, in klassischer Pose.

NAPOLEON Genosse Bonaparte –

Blitzlicht. Während des Folgenden geht der Lord im Raum herum, beugt sich über Robespierre, läuft Napoleon oder Marion nach, steht auf Stühlen, auf dem Schreibtisch usw., kniet, liegt, ständig fotografierend, mit oder ohne Blitzlicht, neue Filme einlegend.

Napoleon erblickt Marion.

NAPOLEON Wer bist du?
MARION Marion.

Napoleon, von ihrem Blick gelenkt, sieht Robespierre, geht zum Bett, schaut auf ihn hinunter.

MARION Tot?

Draußen verklingt der Trauermarsch.

NAPOLEON Maximilien!

Blitzlicht.

MARION Eben lag er noch in meinem Bett.
NAPOLEON Nun liegt er in meinem.

Bückt sich über Robespierre.

NAPOLEON Rührt sich nicht.
MARION Er war bei mir schon einmal so.
NAPOLEON Da hat er keine Rede gehalten.

MARION Vorher doch.
NAPOLEON In deinem Bett?
MARION Bevor er –
NAPOLEON Bevor er?

Sie starren auf Robespierre.

NAPOLEON Worüber hat er denn geredet? In deinem Bett? Bevor er.
MARION Über die Tugend.
NAPOLEON Sein Lieblingsthema.

Rüttelt Robespierre.

NAPOLEON Maximilien!

Rüttelt ihn weiter.

NAPOLEON Genosse Robespierre!

Läßt von ihm ab.

NAPOLEON Mundbeatmung mach ich nicht.

Sie starren auf Robespierre.

NAPOLEON Du?
MARION Nein.
NAPOLEON Und ich hab mich wieder angezogen.
MARION Ich mich auch.

Blitzlicht.

NAPOLEON Wer fotografiert da immer?

MARION Der Lord.

NAPOLEON Welcher Lord?

MARION Tony. Er fotografiert für das Magazin.

NAPOLEON Soll sich zum Teufel scheren.

Der Lord fotografiert weiter.

MARION Gott sei Dank ist der gräßliche Trauermarsch nicht mehr zu hören.

NAPOLEON Der wird bald wieder einsetzen.

MARION Sollte man nicht einen Arzt –

NAPOLEON Nein.

Sie starren auf Robespierre.

MARION Er sieht aus wie ein Mädchen.

Schweigen.

MARION Ganz sanft.

Schweigen.

MARION Ich kam mir mit ihm im Bett wie eine Kinderschänderin vor.

Schweigen.

NAPOLEON Man hat vor ihm gezittert.

MARION Sie auch?

NAPOLEON Einmal.

Schweigen.

MARION Er hat gesagt, ich sei seine erste Frau gewesen.
NAPOLEON Um Jan Hus zu widerlegen, hat er zu gründlich das Magazin gelesen und dich zu oft nackt gesehen.

Geht zur Sprechanlage.

NAPOLEON Plon-Plon!

Kehrt zum Bett zurück.

Plon-Plon von rechts.

Blitzlicht.

PLON-PLON Lieber Onkel?
NAPOLEON Trag das da in den Hof.

Weist auf Robespierre.

NAPOLEON Und aufbahren. Neben Fouché.
PLON-PLON Jawohl, lieber Onkel.

Trägt Robespierre hinaus.

Blitzlicht.

NAPOLEON Louis!

Hinter dem Wandschirm kommt Louis hervor.

Blitzlicht.

LOUIS Guter Onkel?

NAPOLEON Ein Telegramm an IHN.

LOUIS An IHN.

Geht zum Schreibtisch, setzt sich, schreibt.

Napoleon diktiert.

NAPOLEON Der Chefideologe Genosse Maximilien-Marie-Isidore de Robespierre ist an seiner letzten Rede gestorben. Er äußerte, wer die Revolution zur Hälfte vollende, grabe sich selber ein Grab. Er stimmte mit unserem Zentralkomitee überein ...

LOUIS stimmte mit unserem Zentralkomitee überein –

NAPOLEON überein ..., daß unsere Partei imstande sei, die ökonomischen Schwierigkeiten sowie die revisionistischen und imperialistischen Machenschaften aus eigener Kraft zu überwinden ...

LOUIS aus eigener Kraft zu überwinden –

NAPOLEON Genosse Bonaparte.

LOUIS Genosse Bonaparte.

NAPOLEON Aufgeben.

LOUIS Jawohl, guter Onkel.

Rechts ab.

NAPOLEON Fouché ist tot, Robespierre ist tot, die Staatsgeschäfte erledigt –, jetzt komm ich doch ins Bett.

Betrachtet Marion.

NAPOLEON Ich hab dich zuerst nicht erkannt. Man schaut ja bei deinen Fotos auch nicht aufs Gesicht.

Blitzlicht.

MARION Hus duldet keinen Dilettantismus.
NAPOLEON Er hat seit Konstanz seine Taktik geändert.

Geht zum Fernsehsessel, setzt sich.

Blitzlicht.

Draußen der Trauermarsch.

NAPOLEON Da ist der Trauermarsch wieder.

Zieht den rechten Stiefel aus.

Blitzlicht.

NAPOLEON Der Lord ist immer noch da. Raus!

Der Lord kriecht unter den Schreibtisch.

*Napoleon stellt den rechten Stiefel links neben den Fern-
sehsessel.*

NAPOLEON Warum bist du gekommen?
MARION Übermorgen marschieren sie ein.

Napoleon beginnt, den linken Stiefel auszuziehen.

NAPOLEON Der Tod Robespierres hat diese Gefahr besei-
    tigt. Ohne ihn lassen sie sich nicht zu einem Einmarsch
    provozieren.
MARION Der Einmarsch ist schon beschlossen.
NAPOLEON Das hast du von Robespierre?

MARION Er hat's mir gesagt.
NAPOLEON Wann?

Hält mit dem Ausziehen des linken Stiefels inne.

NAPOLEON Ich muß alles wissen.
MARION Robespierre hat mir – war es wirklich zum
    ersten Mal in seinem Leben?
NAPOLEON Wirklich.
MARION Der arme Kerl.
NAPOLEON Mit ihm mußt du kein Bedauern haben.
MARION Darauf wurde er ohnmächtig.
NAPOLEON Begreiflich.
MARION Ich dachte, er sei tot.
NAPOLEON Weiter.
MARION Meine Angelegenheit.
NAPOLEON Es ist nichts mehr deine Angelegenheit.

Schweigen.

MARION Sie müssen es wissen?
NAPOLEON In meiner Lage muß ich alles wissen.
MARION Ich kann es nicht erzählen.

Blitzlicht.

*Napoleon erhebt sich, humpelt in einem Stiefel zum
Schreibtisch, zieht den Lord am Kragen hervor, wirft ihn
nach rechts hinaus.*

NAPOLEON Seinerzeit ließ sich ein Invalide jeden Tag in
    einem Korb vor das Hauptportal der Tuilerien tragen.
    Er hatte weder Arme noch Beine. Fouché – damals

noch auf meiner Seite – ließ ihn jeden Tag fortbringen, und ich sah den Invaliden nie.

Humpelt in einem Stiefel im Zimmer herum.

NAPOLEON Als ich davon hörte, befahl ich, den Invaliden in Ruhe zu lassen und ihn zu verköstigen. So blieb er Tag und Nacht vor dem Hauptportal. Aber ich ging nie an ihm vorüber. Ich benutzte einen Seitenausgang, und ließ er sich dort hinbringen, ging ich durch das Hauptportal. Ich wollte ihn ebensowenig sehen, wie du von Robespierre reden willst.
MARION Darf ich rauchen?
NAPOLEON Rauch.

Sie nimmt eine Zigarette aus der Blue Jeans-Jacke, die sich dabei öffnet.

NAPOLEON Gib mir auch eine Zigarette.
MARION Gauloise.

Wirft ihm ein Päckchen zu.

NAPOLEON Die letzte?
MARION Ich hab noch bei mir.

Gibt sich Feuer, wirft ihm das Feuerzeug zu.

MARION Feuer.
NAPOLEON Danke.

Gibt sich Feuer, wirft ihr das Feuerzeug zurück.

NAPOLEON Nun?

Raucht.

MARION Dann kam Robespierre wieder zu sich. In meinem Bett. Nachdem er zum ersten Mal in seinem Leben –

NAPOLEON Weiter.

MARION Er hat gesagt, ich müsse mit ihm nächsten Morgen zurückfliegen. Sie hätten beschlossen, übermorgen einzugreifen. Mit der Dritten und Vierten Armee. Und mit der Ersten von Westen und der Zweiten von Süden.

NAPOLEON Die Hälfte der Ersten und Zweiten ist schon bei uns stationiert.

Setzt sich wieder in den Fernsehsessel.

NAPOLEON Weiter?

MARION Das ist alles.

NAPOLEON Quatsch.

Schweigen.

MARION Nicht alles.

NAPOLEON Nun?

MARION Ich wurde wütend.

NAPOLEON Und?

MARION Als er mir's erzählt hat, wurde ich wütend.

NAPOLEON Weiter.

MARION ›Ich bin immer nur Eins. Ein ununterbrochenes Sehnen und Fassen, eine Gluth, ein Strom. Es läuft auf eins hinaus, an was man seine Freude hat, an Leibern, Christusbildern, Blumen oder Kinderspielsachen, es ist das nemliche Gefühl, wer am Meisten genießt, betet am Meisten‹: Ich hab ihn gezwungen, mich wieder zu lieben.

NAPOLEON Gezwungen?

MARION Das kann eine Frau. ›Ich wurde wie ein Meer, was Alles verschlang und sich tiefer und tiefer wühlte.‹ Er war machtlos.

NAPOLEON Du meinst, du hast ihn getötet?

MARION ›Es war für mich nur ein Gegensatz da, alle Männer verschmolzen in einen Leib. Endlich merkt' er's.‹ Er war tot.

NAPOLEON Genug zitiert.

MARION Ich hab gewußt, daß er schon drei Herzinfarkte –

NAPOLEON Das hab ich nicht gewußt.

MARION Aber ich.

NAPOLEON Woher willst du denn das gewußt haben?

MARION Von Molotow.

NAPOLEON Dann brauch ich nicht weiterzufragen.

MARION Ich hab ihn getötet.

NAPOLEON Na ja. Beinahe biblisch. Wie Judith Holofernes.

Von rechts tritt sichtlich erschrocken Louis auf.

Von links Plon-Plon.

MARION Judith?

NAPOLEON Was hast du?

MARION Nichts.

NAPOLEON Du bist totenbleich.

Erblickt Louis.

NAPOLEON Was willst du?
LOUIS Nichts, guter Onkel.
NAPOLEON Dann verschwind wieder.

Louis ab.

Napoleon erblickt Plon-Plon.

NAPOLEON Und was hast du hier zu suchen?
PLON-PLON Auch nichts.

Verschwindet.

MARION War's richtig, daß ich's Ihnen erzählt hab?
NAPOLEON Ich bin froh, daß ich weiß, warum Robespierre gestorben ist.
MARION Nur Jan Hus weiß davon.
NAPOLEON Nur?

Schweigen.

MARION Und Tony. Er hat Robespierre und mich gefilmt.
NAPOLEON Der Lord hat –
MARION Als ich Robespierre –. Hus wollte es so. ›Wir thaten's heimlich.‹

Schweigen.

NAPOLEON Hus. Und ich erzähle dir von meinem Invaliden.

Setzt sich wieder.

MARION Nun gibt's vielleicht Krieg.
NAPOLEON Vielleicht.
MARION Benjamin Franklin bietet uns eine Chance.
NAPOLEON Es ist mir bekannt, daß du mit dem Botschafter schläfst.
MARION Würde uns der Nichtangriffspakt mit den Vereinigten Staaten nützen?
NAPOLEON Nein.
MARION Dann gibt es Krieg.
NAPOLEON Gib mir noch eine Zigarette.

Sie wirft ihm ein Päckchen Zigaretten zu.

MARION Amerikanische.
NAPOLEON Na ja, bei deinen Beziehungen.
MARION Feuer.

Wirft ihm das Feuerzeug zu.

NAPOLEON Danke.

Gibt sich Feuer, wirft ihr das Feuerzeug zurück.

NAPOLEON Ich werd mich hüten, jemals mit dir ins Bett zu gehen.
MARION Sie müssen uns helfen.
NAPOLEON Wir sind umzingelt.
MARION Denken Sie an Morengo –
NAPOLEON Marengo.
MARION Marengo, Jena, Wagram, Austerlitz.

NAPOLEON Studier besser meine Niederlagen.

MARION Ich hab ein Buch über Sie gelesen. Es war voller Kaffee- und Rotweinflecken und hatte einen grünen Deckel. Auch Ihr Liebesleben war Klasse. Und alle Filme über Sie hab ich gesehn. Am besten hat mir Charles Boyer gefallen.

NAPOLEON An den komm ich nicht heran.

MARION An Jan Hus kommen Sie nicht heran.

NAPOLEON Du liebst ihn wohl sehr?

MARION ›Das ist der einzige Bruch in meinem Wesen.‹ Ich mach alles für ihn. Weil er für uns sein Leben einsetzt. Mein Vater ist ein armer Teufel, den man zwingt zu töten, und meine Mutter hat mit jedem geschlafen, weil sie eben so war. Aber ich bin nicht so. Ich schlafe auch mit jedem und lasse mich unanständig fotografieren, aber weil es einen Sinn hat, weil ich Jan Hus und der Freien Gewerkschaft damit helfe.

NAPOLEON Geh jetzt. Marsch.

MARION Du wirst sie besiegen, Napoleon.

NAPOLEON Hinaus mit dir.

Marion geht stolz ab.

NAPOLEON Jetzt duzt sie mich schon.

Zieht den rechten Stiefel an.

NAPOLEON Übermorgen.

In die Sprechanlage.

NAPOLEON Den Generalstabschef. Ich bleibe auf.

Betätigt die Fernbedienung. Die Filmleinwand rollt sich ab.

NAPOLEON Schauen wir uns noch etwas die Waleska an.

Der Film erscheint.

Von rechts Cambronne.

CAMBRONNE Ich hab meinen Text vergessen.

Von rechts hinten erscheinen Louis und Plon-Plon.

Zweiter Akt

Der Raum wie im ersten Akt, nur die Bilder der Napoleon-Darsteller durch Marx-Darsteller ersetzt, Lenin, Stalin, Trotzki, Chruschtschow, Breschnew, Mao, Ho Chi Minh, Fidel Castro, Honecker usw.

Auch die Unordnung hat zugenommen.

Auf der Filmleinwand Napoleon zur Nation sprechend. Er ist schon zu hören, bevor der Vorhang aufgeht.

Im Fernsehsessel Napoleon, gekleidet wie zu Beginn des ersten Akts, nur daß der Rock über dem Stuhl vor dem Schreibtisch hängt.

Im Hintergrund Louis und Plon-Plon. Beide mit einem Stapel Herrenmagazine.

IM FERNSEHEN Ich verkünde, daß sich diese Nacht ein Militärrat für die nationale Rettung konstituiert hat. Der Staatsrat hat entsprechend den Festlegungen der Verfassung gestern um Mitternacht den Ausnahmezustand auf dem Territorium des gesamten Landes verkündet. Ich möchte, daß alle die Motive und das Ziel unseres Handelns verstehen. Wir streben keinen Militärputsch, keine Militärdiktatur an. Das Volk hat genügend Kraft, genügend Weisheit, um ein funk-

tionstüchtiges demokratisches System sozialistischer
Ordnung zu schaffen.

Napoleon stellt den Fernseher mit der Fernbedienung ab.

NAPOLEON Das Fernsehen lügt nicht. Der Basler Gelehrte
   Jakob Burckhardt schrieb, ich hätte ein Bild von einer
   großartigen Lächerlichkeit geboten. Der Mann hatte
   recht. Als Kaiser haßte ich Spiegel. Ich stellte mich vor
   ein Bild meines Hofmalers David, wollte ich mich
   betrachten – ich sah bei David großartig aus. Nun hab
   ich mich im Fernsehen betrachtet: Ich bin immer noch
   lächerlich, aber nicht mehr großartig. Das Volk,
   Louis?
LOUIS Straßenkämpfe, guter Onkel.
PLON-PLON Die Armee geht mit Panzerwagen und Was-
   serwerfern vor.
LOUIS Die Kaserne ist abgeschirmt.
NAPOLEON Ich regiere aus einem Grab.
LOUIS Das neue Magazin, guter Onkel.

Reicht ihm ein Magazin.

PLON-PLON Extraausgabe.
LOUIS Wird alle Rekorde schlagen.

Napoleon blättert im Magazin.

NAPOLEON Der Fotograf?
PLON-PLON Lord Tony sitzt in der Verkehrsmaschine der
   British Airways nach London.
LOUIS Woyzeck wartet.

NAPOLEON Kann kommen.
PLON-PLON Sie haben sein Todesurteil unterschrieben.
NAPOLEON Er soll mich noch rasieren.

Beide ab.

Napoleon stellt das Videogerät mit der Fernbedienung an.

Auf der Filmleinwand Napoleon zur Nation sprechend.

IM FERNSEHEN In einem solchen System werden die Streit-
kräfte dort bleiben können, wo ihr Platz ist: in den
Kasernen. Keines unserer Probleme kann man auf
längere Sicht mit Gewalt lösen. Der Militärrat ...

*Von rechts kommt Woyzeck, hinkend, mit seinen Rasier-
utensilien.*

WOYZECK Die Schwämme, Herr General. Da, da steckt's.
Haben Sie schon gesehen, in was für Figuren die
Schwämme auf dem Boden wachsen? Wer das lesen
könnt!

Napoleon stellt das Videogerät ab.

Die Filmleinwand rollt sich auf.

NAPOLEON Woyzeck. Eine Stunde später als sonst.
WOYZECK Ich komm von IHM, Herr General.
NAPOLEON Vom Generalsekretär?
WOYZECK ER ist gelandet.
NAPOLEON Wann?
WOYZECK Vor zwei Stunden.
NAPOLEON Warum ist Er informiert und ich nicht?

WOYZECK Jetzt sind Sie informiert, Herr General.

NAPOLEON Von Ihm und nicht von meinem Geheimdienst.

WOYZECK Der ist Ihnen davongelaufen. Den Hut, Herr General, die Sonnenbrille.

Nimmt Napoleon den Hut und die Sonnenbrille ab, legt beides auf den Schreibtisch.

NAPOLEON Eins nach dem andern.

WOYZECK Jawohl, Herr General.

NAPOLEON Woher hat Er die Nachricht?

WOYZECK Von meiner Tochter, Herr General.

NAPOLEON Der Generalsekretär ist bei Marion?

WOYZECK Das Schicksal Robespierres wird IHN neugierig gemacht haben.

Bindet Napoleon das Rasiertuch um.

NAPOLEON Dann kommt ER erst am Nachmittag.

WOYZECK Robespierre kam bereits vormittags.

NAPOLEON Du hinkst.

WOYZECK Ein Stein hat mich getroffen. Das Volk ist zornig, Herr General. Die Erd ist höllenheiß.

NAPOLEON Kein Grund, ein trauriges Gesicht zu machen, Woyzeck. Neben der Jungfrau Marie, dem Heiligen Vater und Hus ist Seine Tochter unser vierter Nationalheld geworden, und auch Er hat gestern tüchtig gearbeitet, Woyzeck. Fouché bekommt ein Staatsbegräbnis. Geh Er zu meinem Rock.

Woyzeck gehorcht.

NAPOLEON Greif Er in die rechte Tasche.

Woyzeck gehorcht.

WOYZECK Der Große Rote Treueorden mit Sichel und Hammer, Herr General.
NAPOLEON Steck Er ihn sich an.

Woyzeck steckt sich den Orden an.

WOYZECK Jawohl, Herr General.
NAPOLEON Seif Er mich ein.
WOYZECK Sofort, Herr General.

Schlägt Seifenschaum.

WOYZECK Dank auch für den Orden, Herr General.
NAPOLEON Fürs Hinrichten, nicht fürs Rasieren.
WOYZECK Werd's mir merken, Herr General.
NAPOLEON Er trägt den Orden, den Fouché getragen hat. Hat sich dieser willig hingesetzt?
WOYZECK Es blieb ihm nichts anderes übrig, dem Fouché, als sich mir hinzusetzen, und es blieb mir nichts anderes übrig, als ihm die Kehle durchzuschneiden, Herr General, und nun haben Sie sich ja auch hingesetzt.

Seift ein.

NAPOLEON Woyzeck, Er philosophiert wieder.
WOYZECK Es war eine Fehlleistung, Herr General.
NAPOLEON Wer hat Ihm das denn beigebracht?

WOYZECK Der Doktor, Herr General. Auch die Marie ist eine Fehlleistung gewesen, vor zwanzig Jahr. Ich hätt dem Hauptmann und dem Tambourmajor die Kehle durchschneiden sollen, hat der Herr General selber gesagt, und ich hätt gestern Ihnen die Kehle durchschneiden sollen, nicht dem armen Fouché. Sie sind eingeseift, Herr General.

Beginnt zu rasieren.

NAPOLEON Dient Er immer noch dem Doktor für seine Experimente, Woyzeck? Frißt Er immer noch Erbsen?

WOYZECK Als Scharfrichter wird unsereiner Vegetarier, Herr General.

Rasiert.

NAPOLEON Langsam, Woyzeck, langsam. Er macht mir ganz schwindlig. Was soll ich denn mit den zehn Minuten anfangen, die Er heut zu früh fertig wird.

Woyzeck rasiert, singt.

WOYZECK Auf der Welt ist kein Bestand
            Wir müssen alle sterben.

NAPOLEON Schabt Er mit dem gleichen Messer, mit dem Er Fouché –?

WOYZECK Unsereins hat kein zweites Messer, Herr General. Sie war doch vom Tambourmajor.

NAPOLEON Wer?

WOYZECK Die Marion. Sonst läge sie jetzt nicht mit dem Generalsekretär im Bett.

Rasiert, singt.

WOYZECK Ach Tochter, liebe Tochter
Was hast du gedenkt
Daß du dich an die Landkutscher
Und die Fuhrleut hast gehängt
Und ein ordentlicher Mensch hat sein Leben lieb, und
ein Mensch, der sein Leben lieb hat, hat keine Cou-
rage. Wer Courage hat, ist ein Hundsfott.

Rasiert.

*Draußen Befehle und Salve eines Erschießungskom-
mandos.*

WOYZECK Man schießt. Herr General. Man schießt im
Kasernenhof. Päng.
NAPOLEON Vorbei mit der Grabesstille.

Befehle, Salve.

Woyzeck rasiert.

WOYZECK Päng, päng, päng und päng! Immerzu,
immerzu. Das hat die Marie gesagt und getanzt mit
dem Tambourmajor. Was ist der Mensch? Knochen,
Staub, Sand, Dreck. Aber die dummen Menschen, die
dummen Menschen. Der Mensch haut, schießt, sticht,
hurt.

Wirft das Rasiermesser auf den Boden.

WOYZECK After-shave, Herr General?

NAPOLEON Dunhill.

Woyzeck reibt Napoleon After-shave ein.

WOYZECK Die Höll ist kalt, wollen wir wetten?
NAPOLEON Ich mein es gut mit Ihm. Er hätte zuschnei-
den sollen.
WOYZECK Herr General, ich hab's Zittern.
NAPOLEON Die Erbsen, Woyzeck, die Erbsen.

Befehle, Salve.

WOYZECK Blaue Bohnen, Herr General, blaue Bohnen.
Päng, päng, immerzu.

Tritt zurück.

WOYZECK Fertig, Herr General.

Packt seine Rasierutensilien zusammen.

Louis von rechts.

LOUIS Benjamin Franklin, guter Onkel.
NAPOLEON Rein mit ihm.

Louis ab.

WOYZECK Ich hab keine Courage, Herr General. Ich bin
kein Hundsfott.
NAPOLEON Wer kein Hundsfott ist, ist ein Ehrenmann,
Woyzeck, und Er ist ein Ehrenmann.

Gibt Woyzeck einen Fußtritt.

NAPOLEON Wenn ich sag Er, so mein ich Ihn, und wenn ich sag Ihn, so mein ich das Volk. Es ist unanständig, vom Volk Courage zu fordern.

Von rechts Benjamin Franklin.

FRANKLIN Hallo, Bonaparte.
NAPOLEON Hei, Franklin. Ich hab Sie erwartet.
FRANKLIN Ihr Hut.

Reicht Napoleon den Hut.

FRANKLIN Diesmal setz ich mich nicht auf ihn.

Setzt sich auf den Schreibtisch.

NAPOLEON Dafür auf meine Sonnenbrille.
FRANKLIN O Pardon.
NAPOLEON Macht nichts.
FRANKLIN Etwas verbogen.

Reicht ihm die Brille, setzt sich wieder auf den Schreibtisch.

NAPOLEON Danke. Sie bluten an der Stirn, Franklin.
FRANKLIN Nicht der Rede wert, Bonaparte. Ein Panzer fuhr frontal in meinen Cadillac.
NAPOLEON Ich bin bestürzt.
FRANKLIN Mein Fahrer ist tot. Ein Schwarzer.
NAPOLEON Mein Beileid.
FRANKLIN ›Black is beautiful‹. Gut für unsere Propaganda. Der Panzer fuhr mich in Ihre Kaserne.

WOYZECK Adjes, Herr General.

Will gehen.

NAPOLEON Woyzeck.
WOYZECK Herr General?
NAPOLEON Das Messer.
WOYZECK Verzeihung, Herr General.

Kommt zurück, hebt das Rasiermesser auf.

WOYZECK Das machen die Freimaurer, Herr General, die Freimaurer. Seht, wie die Sonn kommt zwischen den Wolken hervor, als würd'n Nachttopf ausgeschütt.

Nach links ab.

FRANKLIN Immer noch poetisch.
NAPOLEON Die Menschen dichten, anstatt zu handeln.
FRANKLIN Phantastisch die Extraausgabe.
NAPOLEON In Rekordzeit gedruckt.
FRANKLIN Wie wird es der Generalsekretär aufnehmen?
NAPOLEON Ich erwarte IHN am Nachmittag.
FRANKLIN Eine Information?
NAPOLEON ER ist bei Marion.
FRANKLIN Das wundert mich. Ein leerer Sack kann nicht aufrecht stehen.
NAPOLEON Wieder ein Sprichwort.

Zieht den rechten Stiefel aus.

NAPOLEON Ich bin achtundvierzig Stunden nicht mehr in der Heia gewesen.

Louis von rechts.

LOUIS Darf serviert werden, guter Onkel?
NAPOLEON Halten Sie mit, Franklin?
FRANKLIN Diesmal nicht.
NAPOLEON Ein Gedeck mehr.

Louis ab.

NAPOLEON Danke, daß Sie den Präsidenten noch stoppen
konnten.
FRANKLIN Er tobt.
NAPOLEON Er sollte mir dankbar sein. Hätt ich sein
Angebot angenommen und mit ihm einen Nichtan-
griffspakt geschlossen, wär er der Blamierte.

Zieht den linken Stiefel aus.

NAPOLEON Er wäre mit einer weiteren Militärdiktatur
verbündet.

Wirft die Stiefel über die Rampe.

NAPOLEON Die zieh ich heute nicht mehr an.
FRANKLIN Ich habe den zweitschärfsten Protest zu über-
reichen, den der Präsident je verfaßt hat.

*Gibt Napoleon einen Brief, den dieser auf ein Aktenbün-
del wirft.*

NAPOLEON Ich bin enttäuscht.
FRANKLIN Sie hätten es voraussehen müssen.
NAPOLEON Ich habe mit dem schärfsten gerechnet.

FRANKLIN Der geht an den Generalsekretär.

NAPOLEON Na, sehen Sie: Jetzt hat der Präsident endlich einmal eine glanzvolle Idee gehabt.

FRANKLIN Sie haben auf Befehl des Generalsekretärs gehandelt.

Plon-Plon und Louis schieben einen Servierwagen mit Frühstück für zwei zu Napoleon.

PLON-PLON Der – der Emmentaler ist eingetroffen, lieber Onkel.

NAPOLEON Auf die Schweiz kann man sich wieder verlassen.

Louis und Plon-Plon ab.

Befehle, Salve.

FRANKLIN Man schießt.

NAPOLEON Erschießt.

FRANKLIN Wen?

NAPOLEON Parteifunktionäre. Ich nutze eine Gelegenheit: Alles denkt an die Gewerkschaft und niemand an die Partei; ein Grund, sie zu säubern.

FRANKLIN Na schön, ich esse mit.

Setzt sich vor den Schreibtisch.

NAPOLEON Passen Sie auf meinen Rock auf.

FRANKLIN Pardon.

NAPOLEON Sie haben wieder mit Marion geschlafen?

FRANKLIN Sie überschätzen mich, Bonaparte.

NAPOLEON Ihre Gattin kommt erst heute über den Teich.

FRANKLIN Sie fliegt nicht herüber, ich fliege hinüber. Ich bin vom Präsidenten zurückgerufen worden.

Sie frühstücken und schieben dabei einander den Servierwagen zu.

NAPOLEON Toast?
FRANKLIN Bitte.
NAPOLEON Kaviar?
FRANKLIN Hungrig.
NAPOLEON Schnaps?
FRANKLIN Gern.

Schenkt sich ein.

FRANKLIN Wenn ich aufgeregt bin, kann ich meinen Appetit nicht bändigen.

Trinkt den Schnaps aus.

FRANKLIN Und meinen Alkoholkonsum auch nicht.

Schenkt sich wieder Schnaps ein.

Der General trinkt Tee.

NAPOLEON Morgen wären sie einmarschiert.

Franklin trinkt, starrt Napoleon entgeistert an.

FRANKLIN Napoleon –
NAPOLEON Benjamin?
FRANKLIN Noch einen Schnaps.

Schenkt sich ein.

FRANKLIN Glauben Sie –

Leert das Glas.

FRANKLIN Napoleon, glauben Sie, daß sie nicht einmarschieren?

NAPOLEON Wenn der Präsident wirklich glaubt, ich hätte auf ihren Befehl hin gehandelt, marschieren sie nicht ein.

FRANKLIN Ich begreife nichts mehr.

NAPOLEON Noch einen Toast mit Kaviar?

Franklin streicht gehorsam Kaviar auf ein Stück Toast.

FRANKLIN Lieber noch einen Schnaps.

NAPOLEON Es ist wichtig, daß Sie jetzt nüchtern bleiben. Besaufen können Sie sich im Flugzeug. Sie beschwören den dritten Weltkrieg herauf, wenn der Präsident auf die Idee kommt, ich hätt aus eigenem Antrieb eine Militärdiktatur errichtet. Den Wagen.

Franklin schiebt den Wagen zurück.

NAPOLEON Passen Sie auf, Benjamin.

Demonstriert das Folgende mit Toaststücken.

NAPOLEON Wir haben zwei Machtblöcke: den Ihren und den unsrigen. Ihrer ist ein Bündnis von Staaten, der unsrige auch. Der Ihre wird von einer Supermacht dominiert, der unsrige auch.

FRANKLIN Die beiden Machtsysteme können Sie unmöglich vergleichen.

NAPOLEON Gerade auf ihre Gleichheit gründet sich meine Überlegung.

FRANKLIN Unterschiede sind Unterschiede.

NAPOLEON Jede Supermacht glaubt, die andere beherrsche ihre Partner vollständig.

FRANKLIN Das ist in Ihrem Machtlager jedenfalls so.

NAPOLEON Ihr Einwand beweist, daß meine Überlegung nicht ganz falsch ist. Sie projizieren in unser Machtlager das Bild, das Sie sehen möchten. Daß unsere Seite der Ihren gegenüber der gleichen Täuschung verfällt, ist ein weiterer Beweis. Jeder Versuch einer politischen Änderung in den zwei Machtbereichen wird auf den Einfluß der anderen Supermacht zurückgeführt: Unsere Freie Gewerkschaft wird euch, und eure Friedensbewegung uns zugeschrieben.

FRANKLIN Banalitäten.

NAPOLEON Auch die Grundlagen der Logik sind banal. Der Identitätssatz, der Satz vom ausgeschlossenen Dritten und so weiter, und was läßt sich nicht aus diesen Banalitäten folgern. Nach der Ansicht des Präsidenten geschieht nichts in unserem Machtsystem ohne den Willen des Generalsekretärs, also auch nicht meine Machtübernahme. Und weil es der Präsident glaubt, unternimmt der Generalsekretär nichts, den Glauben des Präsidenten zu zerstören. In dem Augenblick aber, wo der Präsident glaubt, ich hätte eigenwillig gehandelt, bricht auch der Grund des Generalsekretärs zusammen, gegen mich nichts zu unternehmen, und ich vermag den Krieg unserer Armee gegen seine Truppen nicht zu verhindern, und der Präsident muß einschreiten.

FRANKLIN Sie spielen riskant.

NAPOLEON Ich zähle darauf, daß Sie den Präsidenten in seiner fixen Idee bestärken, ich hätte auf Befehl des Generalsekretärs gehandelt, sonst könnte der Atomkrieg ausbrechen.

FRANKLIN Dafür stehen Sie jetzt als Verräter da.

NAPOLEON Nur Verrat macht Politik noch möglich. Einem Verräter zuliebe löst man keine Weltkatastrophe aus.

FRANKLIN Noch einen Schnaps.

NAPOLEON Bedienen Sie sich.

Schiebt Franklin den Wagen zu.

Franklin schenkt sich ein.

FRANKLIN Napoleon –

NAPOLEON Franklin?

FRANKLIN Ich muß in meine Botschaft zurück.

NAPOLEON Der Panzer steht zu Ihrer Verfügung.

FRANKLIN Da wär noch was.

Trinkt.

NAPOLEON Ach?

FRANKLIN Ich hab in meinen Schriften ein einfaches Leben gepredigt. Ich glaubte an den Erfolg durch Fleiß, Rechtschaffenheit, Selbstdisziplin und Sparsamkeit.

NAPOLEON Nun?

FRANKLIN Lord Tony hat Robespierre mit Marion in delikaten Situationen fotografiert.

NAPOLEON Das kann man wohl sagen.

FRANKLIN Ob wohl solche Aufnahmen auch von Marion und mir −?

NAPOLEON Anzunehmen.

FRANKLIN Die Vereinigten Staaten wurden im Namen Gottes und der Vernunft gegründet. Ich bin neben Washington, Jefferson und Lincoln für die Amerikaner ein Idol der Demokratie, ihr lebendiges Denkmal sozusagen.

NAPOLEON War ich auch einmal. Beethoven hat mir die ›Eroica‹ gewidmet.

FRANKLIN Die Widmung hat er wieder durchgestrichen.

NAPOLEON Komponisten sind launisch.

Von hinten rechts führt Plon-Plon vorsichtig Richelieu herein.

Der Kardinal ist mit der braunen Kutte eines Trappisten-mönchs bekleidet und vollkommen durchnäßt. Er trägt eine tote sandfarbene Hündin in den Armen, bedeckt mit einem violetten Tuch mit goldenem Kreuz. Er bleibt schlotternd neben dem Feldbett unbemerkt stehen.

Plon-Plon wieder ab.

FRANKLIN Wenn an den Kantinenwänden unserer Soldaten Poster hängen, auf denen ich mich mit Marion nackt in einem Bett wälze, werde ich aus dem Buch der Geschichte gestrichen.

Napoleon steht auf.

NAPOLEON Im Gegenteil, Sie würden noch populärer. Helfen Sie mir in den Rock, Benjamin.

Franklin hilft ihm in den Rock.

NAPOLEON Doch wie Sie wünschen.

Öffnet die Schreibtischschublade, gibt Franklin einen Briefumschlag.

NAPOLEON Die Fotos und die Negative, Benjamin. Fliegen Sie in Frieden über den Teich zurück.

Franklin nach rechts ab, ohne Richelieu zu bemerken.

Napoleon gießt sich wieder Tee ein.

Richelieu kommt nach vorne.

RICHELIEU Bonaparte.
NAPOLEON Richelieu!

Stutzt.

NAPOLEON Was tragen Sie denn für eine unmögliche Kutte?
RICHELIEU Ich trete in ein Trappistenkloster ein.
NAPOLEON Wozu?
RICHELIEU Damit ich endlich den Mund halte.
NAPOLEON Sie sind flotschnaß.
RICHELIEU Einer Ihrer Wasserwerfer.
NAPOLEON Saßen Sie denn nicht in Ihrem Mercedes?
RICHELIEU Ich stand hinten im offenen Kabriolett, um mich unwürdigen Sünder den Gläubigen zu zeigen. Ich stand wie in einer Badewanne, als ich in Ihrer Kaserne ankam. Ich bin bis auf die Knochen durchfroren.
NAPOLEON Ziehen Sie schleunigst diese Kutte aus.

RICHELIEU Mich auszuziehen –? Niemals!

Niest.

RICHELIEU Ich hörte Ihre mitternächtliche Rede, Bonaparte. Sie haben die Freie Gewerkschaft aufgelöst.

NAPOLEON Nun?

RICHELIEU Sie haben den Vertrag der Regierung mit Jan Hus gebrochen.

NAPOLEON Die Regierung ist abgesetzt.

RICHELIEU Sie hatten den Vertrag mit Hus eigenhändig unterzeichnet.

NAPOLEON Als Oberbefehlshaber der Armee stürzte ich mich als Ministerpräsidenten samt der Regierung selber.

RICHELIEU Haben Sie sich auch als Chef der Partei entmachtet?

NAPOLEON Auch.

RICHELIEU Im Hof dieser Kaserne finden Erschießungen statt.

NAPOLEON Ich säubere.

RICHELIEU Jan Hus?

NAPOLEON Wird verhaftet.

RICHELIEU Verhaften Sie mich statt seiner.

NAPOLEON Ich mache mich nicht lächerlich.

RICHELIEU Meine Antwort.

Legt Napoleon feierlich den Tierkadaver zu Füßen, enthüllt ihn.

RICHELIEU Eine tote Hündin. Sie wurde vor meinem Palais von einem Panzer überfahren. Was hat dieser blutige Brei von Fleisch, Knochen und sandfarbenem Fell mit Ihren Plänen zu tun, Bonaparte?

NAPOLEON Wenn ich den Volksaufstand jetzt nicht niederschlage, kommt es zum Bürgerkrieg; kommt es zum Bürgerkrieg, marschieren sie ein. Der Generalsekretär ist schon im Land, und der Kardinal Richelieu legt mir eine tote Hündin vor die Füße. Ich habe nichts mit diesem Kadaver zu tun.

RICHELIEU Nichts. Und wenn es ein Kind gewesen wäre, nichts. Und hundert Kinder, nichts. Und nichts mit den Plänen des Hus, der Ihre Pläne bewirkte, Bonaparte, und nichts mit meinen Plänen, die durch die Ihren bestimmt wurden, und nichts mit den Plänen des Generalsekretärs, die Sie zu beeinflussen suchen. Alle unsere Pläne haben nichts mit dieser toten Hündin zu tun. Nichts. Nichts. Ich schlottere.

Setzt sich in den Stuhl vor dem Schreibtisch.

NAPOLEON Tee mit Schnaps?

RICHELIEU Kümmern Sie sich nicht um mein zeitliches Wohl.

NAPOLEON Sie klappern mit den Zähnen.

RICHELIEU Schüttelfrost.

NAPOLEON Ich laß einen Arzt kommen.

RICHELIEU Hüten Sie sich, Gott ins Handwerk zu pfuschen.

Fühlt sich den Puls.

NAPOLEON Ihre Hände und Kutte sind blutig.

RICHELIEU Stört es Sie, Bonaparte? Mein Puls rast.

Gibt Napoleon eine Schachtel.

RICHELIEU Meine Antibabypillen. Die brauch ich im Trappistenkloster auch nicht mehr. Meine Erkältung schreitet flott voran.

Hustet.

RICHELIEU Gott der Herr sei gelobt. Der Husten schmerzt. Eine Lungenentzündung kündet sich an. Hoffentlich noch Schlimmeres. Haben Sie eine starke Zigarre?
NAPOLEON Auf dem Schreibtisch. Eine Kiste Fidel Castros.

Richelieu nimmt eine Zigarre.

Napoleon in die Sprechanlage.

NAPOLEON Louis. Feuer.
RICHELIEU Nicht Louis, Plon-Plon. Der ist der Unwürdigere.
NAPOLEON Plon-Plon. Feuer.
RICHELIEU Irgendein Gelehrter, der über Raum und Zeit nachdachte, schrieb einmal: Insofern sich die Sätze der Mathematik auf die Wirklichkeit bezögen, seien sie nicht sicher, und insofern sie sicher seien, bezögen sie sich nicht auf die Wirklichkeit.

Hustet.

RICHELIEU Ich bin gespannt, ob ich bei meinem desolaten Zustand überhaupt noch in mein Trappistenkloster komme.

NAPOLEON Die Ambulanz ist bereit.

RICHELIEU Die Stiche nehmen zu. Es ist etwas Großartiges, wie sich eine tödliche Krankheit ausbreitet.

Plon-Plon kommt, gibt Richelieu Feuer.

RICHELIEU Gott wird dir deine Sünden vergeben, mein Sohn. Eine gewaltige Menge.

Pafft.

Plon-Plon ab.

RICHELIEU Was der unbekannte Gelehrte schrieb, gilt auch für die Theologie und die Ideologie: Insofern sich die Sätze der Theologie und der Ideologie auf den Menschen beziehen, sind sie nicht sicher, und insofern sie sicher sind, beziehen sie sich nicht auf den Menschen. Die Theologie und die Ideologie sind nur im menschenleeren Raum wahr. Ich hätte es als Priester wissen müssen: Das Christentum ist nur ohne Christen vollkommen.

Von links ist Cambronne aufgetaucht.

CAMBRONNE Ich – ich –

RICHELIEU Was wünschen Sie, Pierre Jacques Etienne de Cambronne, Pair de France?

CAMBRONNE Ich hab mein Wort vergessen.

RICHELIEU Ich kenn es. Es ist dem Zustand der Kirche angemessen. Gehen Sie wieder.

Cambronne verschwindet.

RICHELIEU Bonaparte, Sie, ich und der Generalsekretär haben auf Erden die Hölle geschaffen. Ohne uns wäre der Mensch der ganz passable Raubaffe mit durchaus beachtlichen humanen Zügen geblieben, wie ihn Gott erschaffen hat. Was ihn verteufelte, war unser Hang zum Absoluten. Wir erdachten uns eine Welt ohne den Menschen, weil wir ihn nicht liebten in all seinen bösen und guten Eigenschaften, in all seiner Erbärmlichkeit und in all seiner Herrlichkeit. Sie träumten von der Restauration des römischen Imperiums, ich träumte vom absoluten Staat von Gottes Gnaden, und unser guter Generalsekretär hofft noch immer auf den Sankt Nimmerleinstag der Weltrevolution. Doch wir träumten nicht nur, wir planten; und wir planten nicht nur, wir handelten und zwangen den unvollkommenen Menschen in unsere vollkommenen Hirngespinste.

Hustet.

RICHELIEU Das ist mir aufgegangen, als ich diese tote Hündin gefunden habe, von einem Panzer plattgewalzt. Es war mir, als läge die Menschheit vor mir.

Pafft.

RICHELIEU Die Güte des Herrn währet ewiglich. Jetzt machen sich auch die Stiche vorne auf der Brust bemerkbar. Das Rauchen beschleunigt rasant.

Pafft.

RICHELIEU Meine letzten Worte, bevor ich sterbe oder im

Trappistenkloster verblöde: Laß jede Hoffnung fahren. Aus der Hölle der Dogmen, die Macht begründen, gibt es kein Entrinnen. Eine Erneuerung der Partei ist ebenso unmöglich wie eine der Kirche oder der Mathematik. Sicher, es gibt Erweiterungen – zur Euklidischen Geometrie stößt die nichteuklidische –, aber weder besteht das Kirchenvolk aus Theologen, noch setzen sich die Volksschüler aus Mathematikern zusammen, und die Marxisten erklären ohnehin jene, die den Marxismus weiterdenken, für verrückt.

Hustet ins Taschentuch.

RICHELIEU Und ich Sünder verkündete eine katholisch-marxistische alleinseligmachende Weltkirche! Aber der Ewige ist barmherzig. Ich spucke Blut. Phantastisch, diese Monte Christo Numero Eins.

Pafft.

NAPOLEON Ich besitze auch die Fotos und Negative von Zabarella und Marion im Bett.
RICHELIEU Lassen Sie noch einmal ein Magazin drucken. Der Heilige Vater hat Zabarella schon zum Kardinal ernannt. Es tut der Kirche gut, daß die Sünden ihrer Hirten offenbar werden. Nur in ihrer Unvollkommenheit darf sie auf die Gnade Gottes hoffen.

Hustet ins Taschentuch.

RICHELIEU Ein Schwall von Blut. Jetzt erinnere ich mich, wann ich Hus zum ersten Mal gesehen habe: Als man ihn in Konstanz verbrannte, diskutierte ich in Florenz mit Brunelleschi die Regeln der Perspektive und verpaßte das Spektakel, aber mehr als zweihundert Jahre später war er unter dem Namen Guiton Bürgermeister der hugenottischen Stadt La Rochelle, die ich über ein Jahr lang belagerte. Ich hungerte die Stadt aus, von 25000 waren noch 5000 am Leben, als sie sich ergab. Ich glaubte, über Hus gesiegt zu haben. Ich bin ein Narr gewesen, Bonaparte, und bin ein Narr geblieben.

Plon-Plon und Louis kommen.

PLON-PLON ER – ER ist gekommen!
NAPOLEON ER?
LOUIS Der Generalsekretär.

Blickt zum Himmel.

NAPOLEON In der Kaserne?
LOUIS Steigt die Treppe hoch.
NAPOLEON Richelieu!

Schweigen.

PLON-PLON Bewegt sich nicht mehr.
LOUIS Blutbesudelt.
NAPOLEON Raucht noch.
LOUIS Tot.
PLON-PLON Sollen wir ihn abräumen?
NAPOLEON Tragt ihn hinter den Paravent. Und nehmt das Vieh mit.

Plon-Plon und Louis tragen Richelieu und den Hunde-
kadaver hinter den Paravent.

PLON-PLON Raucht noch immer.
NAPOLEON Eine gute Zigarre brennt von selber.

Napoleon sucht herum.

NAPOLEON Die Stiefel.

Louis und Plon-Plon kommen zurück.

PLON-PLON Sehe keine.
LOUIS Die haben Sie sicher längst über die Rampe ge-
    schmissen.
NAPOLEON Na wenn schon.
LOUIS Den Hut?
NAPOLEON Meinetwegen. ER wird immer pedantischer.

Louis reicht ihm den Hut, kriecht unter den Schreibtisch.

Napoleon setzt sich den Hut auf.

NAPOLEON Richtig?

Plon-Plon richtet ihm den Hut zurecht.

PLON-PLON Richtig.
NAPOLEON Wo ist denn Louis?
PLON-PLON Unter den Schreibtisch gekrochen.
NAPOLEON ER liebt unsere Familie nicht. Versteck dich
    besser auch.

Plon-Plon verbirgt sich hinter dem Fernsehsessel.

Die Szene ist durch Richelieus Schloterei gleichsam in Nebel gehüllt, der sich im folgenden allmählich verzieht.

Von links kommt Karl Marx I und von rechts Karl Marx II. Karl Marx I ist äußerst gepflegt gekleidet – beinah wie Helmut Kohl bei der Amtsübernahme bei Carstens –, ein Monokel vor der Brust, Karl Marx II in der Festkleidung eines Generalsekretärs, mit vielen Orden.

MARX I Ein Gespenst geht um in Europa.
MARX II Die Geschichte aller bisherigen Gesellschaft ist die Geschichte von Klassenkämpfen.

Napoleon blickt verwirrt zuerst nach rechts, dann nach links.

Marx I und Marx II breiten die Arme aus.

MARX I Genosse –
MARX II Genosse –
MARX I Umarmen wir uns.
MARX II Küssen wir uns.

Marx I umarmt Napoleon.

NAPOLEON Genosse Generalsekretär.
MARX I Genosse Bonaparte.

Marx II umarmt Napoleon.

NAPOLEON Genosse Generalsekretär.
MARX II Genosse Bonaparte.

Alle drei küssen sich.

Louis kriecht nach rechts hinaus.

NAPOLEON Ihr seid doppelt?
MARX I Keineswegs. Nur ich bin ich.
MARX II Nur propagandistisch bin ich mit diesem Spinner
  identisch.

Zeigt auf Marx I.

NAPOLEON Aber bei Marion –
MARX II Er schrieb unterdessen an seinem Roman –
MARX I am ›Kapital‹ –
MARX II weiter.

Marx I betrachtet Napoleon kritisch.

MARX I Ohne Stiefel, Genosse Bonaparte.
NAPOLEON Verzeih, Genosse Generalsekretär, sie sind
  mir abhanden gekommen.
MARX I Auch deine Hose ist nicht mit der notwendigen
  Sorgfalt zugeknöpft.
NAPOLEON Ich – Verzeihung.

*Knöpft sich die Hose mit dem Rücken zum Publikum
besser zu.*

MARX I Hoffentlich hat's das Publikum nicht bemerkt.
MARX II Na wenn schon.
MARX I Du verwilderst förmlich, Genosse Bonaparte.

Schnuppert.

MARX I Jemand schmaucht.

Schnuppert.

MARX I Havanna. Die Lieblingszigarre der Großbourgeoisie.
MARX II Fidel Castros Lieblingsmarke.
NAPOLEON Kardinal Richelieu ist soeben gestorben.
MARX I Der läßt sich auch gehen.
MARX II Sei nicht so pedantisch, Opa.
MARX I Die aus dem Untergang der bürgerlichen Gesellschaft hervorgegangene kommunistische Gesellschaft hat die Klassengegensätze aufgehoben.
MARX II Interessiert keinen Schwanz.
MARX I Je bürgerlicher die kommunistische Gesellschaft auftritt, desto revolutionärer ist sie.
MARX II Halt mal die Luft an, Opa.

Klopft Marx I auf die Schulter.

MARX I Ich werd doch als alter Weltrevolutionär –
MARX II Genosse Bonaparte.
NAPOLEON Genosse Generalsekretär.
MARX II Klug von dir, das Kriegsrecht auszurufen.
MARX I Der reinste Bonapartismus.

Boxt Napoleon freundschaftlich.

MARX II Klappe halten, Opa.
NAPOLEON Der einzige Ausweg.
MARX II Du willst vermeiden, daß ich einmarschiere, he?
NAPOLEON Ich will vermeiden, daß durch ein falsches Vorgehen unserer gemeinsamen Sache geschadet wird.

MARX II Komm mir nur jetzt ja nicht auch noch ideologisch.

Boxt Napoleon freundschaftlich.

MARX I Der Kommunismus hat nicht nur die Waffen geschmiedet, die ihm den Tod bringen, er hat auch die Männer erzeugt, die diese Waffen führen: den modernen Arbeiter, den Proletarier. Sein Kampf gegen die Partei beginnt mit seiner Existenz. Leider hat Hus das begriffen. Er hat recht. Daher vermag die Partei ihn nur zu überwinden, indem sie sich selber ins Unrecht setzt und damit – dank der List der Weltgeschichte – ins Recht: minus mal minus ist plus.

MARX II Opa hat Hegel gelesen. Ob Hus recht hat oder nicht, ist ebenso gleichgültig wie die Frage, ob die Dissidenten recht haben oder nicht.

MARX I Proletarier aller Länder –

MARX II Quatsch mit Soße. Es geht nicht um Ideologie, es geht um den Kampf zweier Weltmächte. Kapitalismus und Kommunismus sind nicht als Ideologien, sondern als taktische Ausreden für die Strategie des Schreckens zu begreifen. Unser Gegner zwingt uns aufzurüsten und berechtigt uns, ihn zu erpressen; damit berechtigen wir ihn, weiter aufzurüsten, und zwingen ihn, sich weiter von uns erpressen zu lassen; wie zwei verschlungene Schlangen, die nicht zu trennen sind, weil sich jede in den eigenen Schwanz gebissen hat.

Setzt sich in den Fernsehsessel.

MARX II Darum können wir uns Hus, die Menschenrechtler und Dissidenten ebensowenig leisten wie die andern sich ihre Friedenstrompeter. Die Freiheit, die wir dabei unterdrücken, interessiert ohnehin kaum ein Promill eines Promills der Weltbevölkerung. Solange unser sozialistisches Wirtschaftssystem nicht klappt – und es wird nie klappen –, bleibt uns nichts anderes übrig, als wilde Ideologen zu spielen. Ein System wie das unsrige, das nur aufrechtzuerhalten ist, indem es seinen Gegner erpreßt, muß gegen außen einig sein, sonst wird es erpreßt. Bitte sehr! Kaum ist Hus unterdrückt, stellt der Präsident uns Forderungen! Kennt denn dieser Schauspieler nicht die Spielregeln? Und das in einer Weltwirtschaftskrise! Mein Gott, mein Gott! Das sozialistische Wirtschaftssystem rentiert nur, wenn das kapitalistische blüht; und will man uns zu Tode rüsten, müssen wir angreifen. Darum bleibt uns gegen innen nichts anderes übrig als Säubern, wollen wir gegen außen glaubhaft Macht demonstrieren. Säubern! Immer wieder Säubern.

NAPOLEON Hab ich die ganze Nacht durch getan.

MARX II Siehst du, das Säubern funktioniert wenigstens noch bei dir. Bei mir? Ich vermag nur noch Dissidenten zu säubern und hin und wieder andere lausige Elemente. Die Genossen Funktionäre haben das Gesäubertwerden satt. Nur hin und wieder lasse ich einen zur Hölle zischen und geh dabei ein verdammtes Risiko ein. Wenn ich sie säubere, säubern sie mich.

Marx II versinkt in dumpfes Grübeln.

Marx I hat sich inzwischen die Poster angeschaut.

MARX I Porträts.

Schaut durch das Monokel.

MARX I Von meinen Darstellern.

Schüttelt den Kopf.

MARX I Sie haben mich alle miserabel gespielt.

Zuckt die Achseln.

MARX I Schmierenkomödianten.

Zeigt auf Ho Chi Minh.

MARX I Wenn ich nur dessen Bart mit dem meinen vergleiche! Manchmal kommt es mir vor, ich sei überhaupt nicht spielbar.

Kommt nach vorne.

MARX I Aber möglicherweise hab ich mich selber gründlich mißverstanden. Es kommt mir vor, als sei ich selber nicht mehr mit mir selber identisch.

Marx I setzt sich zu Marx II auf die rechte Lehne des Fernsehsessels.

MARX I Ich fürchte, ich hab mich von mir entfremdet. Ich stecke bis zum Hals in einer geradezu haarsträubenden Identitätskrise.

Napoleon setzt sich ihnen gegenüber auf den Stuhl vor dem Schreibtisch.

Plon-Plon schleicht sich nach links hinaus.

Marx I fährt Marx II, der immer noch vor sich hinbrütet, zärtlich durch die Haare, dann düster

MARX I Die politische Gewalt im eigentlichen Sinne ist die organisierte Gewalt des Proletariats zur Unterdrükkung der Proletarier geworden.

Von rechts kommt Marx III in Lumpen gekleidet mit einer Maschinenpistole.

Marx I schreckt auf.

MARX I Noch einer.

Marx III geht schweigend nach links hinaus.

MARX I Der grüßt mich nicht einmal mehr.

Sinnt nach.

MARX I Als Hus nach Konstanz ging, gab es auch drei Päpste. Wieder einer.

Zeigt ins Leere.

NAPOLEON Ich sehe keinen.
MARX I Der einzige, der mein ›Kapital‹ gelesen hat.

Stutzt.

MARX I Bonaparte –

NAPOLEON Opa?

MARX I Auf dem Schreibtisch sind diese – diese Hefte. Gib mir eins.

Marx II schaut auf.

MARX II Mir auch.

Napoleon gibt jedem ein Magazin, das sie durchblättern.

MARX I Mir fehlen die Worte. Das Weib hat zu arbeiten, Komsomolzen zu gebären und beim Einkaufen Schlange zu stehen, doch sich nicht als Schlange fotografieren zu lassen.

Blättert.

MARX II Opa, sei nicht so altmodisch.

MARX I Ich hab meine Jenny und mein Lenchen nie nackt gesehen.

NAPOLEON Wir brauchen Devisen.

MARX II Ich auch. Ich laß das Magazin bei mir herausgeben.

MARX I Kommt nicht in Frage. Wenigstens prüde sollten wir bleiben. Wenigstens.

MARX I Die verflixte Orthodoxie!

Beide erheben sich.

MARX I Ich bin konsterniert. Die Waffen, womit der Kommunismus die Bourgeoisie zu Boden geschlagen hat, richten sich gegen den Kommunismus selbst.

MARX II Opa, keine Oper.

MARX I Das Magazin wird eingestellt, die Freie Gewerkschaft –

MARX II Er weiß Bescheid, Opa. Bonaparte ist zu klug,
die Dummheiten des guten Hus mitzumachen, und ich
bin zu klug, um einzumarschieren. Gibst du mir die
beiden Stapel dieser Hefte? Sie stellen ein uner-
schwingliches Vermögen dar. Die höheren Parteimit-
glieder, Offiziere, Künstler und Wissenschaftler zah-
len horrende Preise.

NAPOLEON Bitte.

Gibt ihm beide Stapel.

MARX II Ich nehme Abschied.

NAPOLEON Leb wohl, Genosse.

MARX II Du hast den Hut noch auf dem Kopf.

Napoleon zieht den Hut.

NAPOLEON Leb wohl.

MARX II Genosse Nabulione.

NAPOLEON Genosse Karl.

Marx II geht nach links vorne ab.

MARX I Umarmen.

Sie umarmen sich.

MARX I Küssen.

Sie küssen sich.

MARX I Genosse Nabulione.
NAPOLEON Genosse Karl.

Napoleon setzt den Hut wieder auf.

MARX I Er sitzt schräg.

Napoleon richtet den Hut zurecht.

NAPOLEON So?
MARX I Nun sitzt er. Hast du noch?
NAPOLEON Ich hab noch eins.

Gibt ihm ein Magazin.

MARX I Sag es um Gottes willen niemandem. Wenn's
    Jenny –
NAPOLEON Leb wohl.

Marx I geht nach rechts vorne ab.

Napoleon geht zum Fenster, sieht hinaus.

Marion kommt, gekleidet wie im ersten Akt.

NAPOLEON Seht, wie die Sonn kommt zwischen den
    Wolken hervor, als würd'n Nachttopf ausgeschütt.

Kehrt sich um.

NAPOLEON Woyzecks letzte Worte.

MARION Er ist erschossen worden.

NAPOLEON Beschissene Zeiten. Er hat Fouché hinge-
richtet.

MARION Auf deinen Befehl.

NAPOLEON Ich hab dir das Du nicht angeboten.

MARION Verräter duzt man.

NAPOLEON Ich denke Freunde.

Setzt sich aufs Bett.

MARION Wir sind Feinde.

NAPOLEON Dein Vater hat mich heute noch rasiert. Er
hat seine Chance gehabt, aber sie nicht genutzt.

MARION Er ist ein Feigling gewesen.

NAPOLEON Er hatte nur keine Courage. Er war kein
Hundsfott. Gib mir eine Zigarette.

Sie wirft ihm ein Päckchen Zigaretten zu.

MARION Englische.

NAPOLEON Großzügig.

Sie wirft ihm ein Feuerzeug zu.

MARION Feuer.

Er zündet sich eine Zigarette an.

MARION Der Lord sitzt nicht in der Verkehrsmaschine
der British Airways nach London.

NAPOLEON Ich weiß.

MARION Was ist mit ihm geschehen?
NAPOLEON Ich hab seine Filme.
MARION Ein Lord weniger.
NAPOLEON Deine Jacke ist aufgerissen.
MARION Der Wachoffizier.
NAPOLEON Hast du nie was drunter an?
MARION Wozu?
NAPOLEON Gib mir den Revolver.
MARION Ich hab keinen.
NAPOLEON In deiner Jacke.

Sie rührt sich nicht.

NAPOLEON Na komm.

Sie zieht den Revolver aus der Tasche, wirft ihn aufs Bett.

Napoleon raucht.

NAPOLEON Hast du schon einmal mit so einem Ding
   geschossen?
MARION Nein.
NAPOLEON Es geht nicht wie im Kino zu. Er ist nicht
   entsichert.
MARION Entsichert?

Napoleon entsichert den Revolver.

NAPOLEON So. Und er ist durchgeladen. Jetzt kannst du
   abdrücken.

Gibt ihr den Revolver zurück.

MARION Als ich hereingekommen bin, hast du mir den Rücken zugekehrt.

NAPOLEON Nun sitz ich auf dem Bett.

MARION Du schaust mich an.

NAPOLEON Ich schau dich gern an.

MARION Der Revolver ist nicht entsichert gewesen.

NAPOLEON Jetzt ist er entsichert.

Marion wirft den Revolver wieder aufs Bett.

MARION Ich kann nicht.

NAPOLEON Warum nicht?

Raucht.

NAPOLEON Willst du wie Judith warten, bis ich eingeschlafen bin?

Raucht.

Von rechts taucht Louis, von links Plon-Plon auf.

Marion erstarrt.

MARION Judith?

NAPOLEON Judith.

MARION Ich bin nicht Judith.

NAPOLEON Ich bin nicht Holofernes.

Raucht.

Sie wirft den Revolver aufs Bett.

Louis und Plon-Plon verschwinden wieder.

MARION Ich bin bei dir ebenso feig wie mein Vater.

Napoleon drückt die Zigarette auf der Konsole aus.

MARION Laß mich abführen.
NAPOLEON Du duzt mich immer noch.
MARION Du bist immer noch ein Verräter.
NAPOLEON Willst du doch eine Heldin sein?
MARION Mach schnell.
NAPOLEON Womit?
MARION Mit Erschießen.

Napoleon steht auf.

NAPOLEON Schnaps?
MARION Kognak.

*Napoleon geht nach vorne zum Servierwagen, schenkt
zwei Gläser Kognak ein.*

NAPOLEON Setz dich.

Marion setzt sich vor den Schreibtisch.

Napoleon gibt ihr ein Kognakglas.

NAPOLEON Trink.

Sie trinkt.

*Napoleon setzt sich in den Fernsehsessel, zieht den Wagen
zu sich heran, schwenkt das Kognakglas.*

NAPOLEON Ein Geschenk des Französischen Gesandten.
MARION Den hat er mir auch geschenkt.

NAPOLEON Aufmerksam von ihm.

Sie trinken.

NAPOLEON Du hast mit dem Generalsekretär geschlafen?
MARION Er hat sich in den Rokoko-Sessel vor meinem
Bett gesetzt und mich lange angeschaut. Dann hat er
gelacht und ist aus meinem Schlafzimmer gegangen.
Dann ist Molotow gekommen.
NAPOLEON Was hat er dir vorgeschlagen?
MARION Er hat mir den Revolver gegeben.

Trinkt.

NAPOLEON Wozu?
MARION Um Hus zu töten.
NAPOLEON Den Auftrag hast du angenommen?
MARION Scheinbar.
NAPOLEON Um mich zu töten?
MARION Um dich zu töten. Aber ich hab dich nicht töten
können. ›Meine Natur war nun einmal so. Wer kann
da drüber hinaus?‹
NAPOLEON Es ist unklug von Hus gewesen unterzutau-
chen.
MARION Er ist klug genug, dir nicht zu trauen.
NAPOLEON Ich stöbere ihn auf.
MARION Du findest ihn nie.
NAPOLEON Es ist besser, ich verhafte ihn, als daß Molo-
tow ihn findet.
MARION Ich sage dir nicht, wo er ist.
NAPOLEON Ich hab dich auch nicht danach gefragt.
MARION Was hast du vor?

NAPOLEON Das Magazin wird verboten.

MARION Mein Bett kannst du nicht verbieten.

NAPOLEON Ich bin kein Unmensch.

MARION Du wirst auch mit mir schlafen.

NAPOLEON Ich hab's dir schon gestern morgen gesagt.

Trinkt.

NAPOLEON Ich hüt mich davor.

Schenkt sich Kognak ein.

NAPOLEON Du arbeitest von nun an für mich.

Trinkt.

MARION Ich hab schon für dich gearbeitet.

NAPOLEON Dank deiner Meldung bin ich dem Generalsekretär zuvorgekommen.

MARION Du hast uns verraten, statt zu kämpfen.

NAPOLEON Wär dir ein Krieg lieber?

MARION Du hast in Morengo gesiegt.

NAPOLEON Marengo.

MARION In Marengo, in Jena, in Wagram, in Austerlitz.

NAPOLEON Von solchen Gemetzeln schwärmst du?
Schämst du dich nicht? Hast du vergessen, was dir
deine Großmutter erzählt hat?

MARION ›Es war einmal ein arm Kind und hatt kein Vater
und keine Mutter, war alles tot, und war niemand
mehr auf der Welt. Alles tot, und es is hingegangen
und hat gesucht Tag und Nacht. Und weil auf der Erde
niemand mehr war, wollt's in Himmel gehn, und der
Mond guckt es so freundlich an, und wie es endlich
zum Mond kam, war's ein Stück faul Holz. Und da is

zur Sonn gegangen, und wie es zur Sonn kam, war's ein verwelkt Sonneblum. Und wie's zu den Sternen kam, waren's kleine goldne Mücken, die waren angesteckt, wie der Neuntöter sie auf den Schlehen steckt. Und wie's wieder auf die Erde wollt, war die Erde ein umgestürzter Hafen. Und es war ganz allein. Und da hat sich's hingesetzt und geweint, und da sitzt es noch und is ganz allein.‹

NAPOLEON Siehst du, das war eine schöne Geschichte. Heut könnt sie deine Großmutter nicht erzählen. Ein Stück faul Holz ist lebendiger als der Mond, die Sonn schrecklicher als ein verwelkt Sonneblum, die Stern fürchterlicher als tote goldne Mücken; und daß die Erd ein umgestürzter Hafen sei, ist ein zu liebliches Bild. Ich hätt auch gern so wunderschöne Geschichten gehört wie du. Aber was erzählte mir meine Mutter auf der Insel Korsika, als ich auf ihrem Schoß strampelte? Vom ›Rasenden Roland‹, von Cesare Borgia, von Alexander und Cäsar. Da wollt ich General werden und schließlich wurde ich einer und dann Kaiser. Aber du? Warum bist du so jämmerlich ins Heldische mißraten bei deiner Großmutter?

MARION Ich wollt mehr sein als meine Mutter.

NAPOLEON Mehr sein als deine Mutter! Meinst du, die Soldaten waren glücklich in Marengo, in Jena, in Wagram, in Austerlitz? Sie waren nur zwischen den heißen Schenkeln deiner Mutter glücklich. Mit dem Siegen ist es vorbei. Ich war nur in deinem grünen Buch mit den Wein- und Kaffeeflecken ein Held. Die Schlachten, die du auswendig gelernt hast, waren Schweinereien, voll Kotze, Blut und Dreck. Ich weigere mich, noch einmal ein Schlächter zu sein, auch wenn ich siegen könnte: Allzuleicht stürzen heute die Siege Völker ins Unglück. Wehe den Siegern.

Schenkt sich ein.

NAPOLEON Man gehorcht mir nur, weil sie sonst einmarschieren würden, und weil jeder Widerstand ein verbrecherisches Blutvergießen ist. Ich bin das kleinere Übel, das die große Pose verhindert: den Heldenkampf eines Volkes mit Millionen von Toten. Von der Gefahr, daß unser Planet hops geht, greift noch der Präsident ein, ganz zu schweigen. Aber jeder hierzulande träumt von Heldentaten, weil man nur Träume nicht verbieten kann in diesem Gefängnis. Und ich, der das Heldentum verhindert, bin ein Verräter, auch wenn jeder in Wirklichkeit froh ist, daß ich's verhindere. Und so bin ich denn ein Verräter. Für meine Offiziere, für meine Soldaten, für die Partei, für die Freie Gewerkschaft, für das Volk – und für dich.

Trinkt.

NAPOLEON Jemand muß den Verräter spielen, und ich spiel ihn, gehaßt von allen, verachtet von allen.

Leert das Glas Kognak in einem Zug.

NAPOLEON Nun, arbeitest du wieder für mich?
MARION Wie?
NAPOLEON Du tust so, als ob du für Molotow arbeiten würdest, und spielst ihm die Nachrichten zu, die ich dir gebe.

MARION Und Hus?
NAPOLEON Du hast ihn nicht gefunden.
MARION Molotow wird mir nicht glauben.
NAPOLEON Er wird dir glauben.
MARION Ich muß es mir überlegen.
NAPOLEON Du trinkst nicht.
MARION Ich trink.

Trinkt.

NAPOLEON Judith machte Holofernes auch besoffen.

Von links tritt Plon-Plon und von rechts Louis auf.

Marion erstarrt.

MARION Ich bin nicht Judith.
NAPOLEON Es wäre schön, wenn du Judith wärst. Woyzeck hätte dir sein Rasiermesser gegeben.
MARION Du bist kein Holofernes.
NAPOLEON Es wäre schön, wenn ich Holofernes wäre.
MARION Nein. Nein!
PLON-PLON Marion ist nicht Judith, lieber Onkel!
LOUIS Und Sie sind nicht Holofernes, guter Onkel!
NAPOLEON Raus mit euch beiden!

Plon-Plon und Louis nach rechts ab.

Napoleon schenkt sich Kognak ein.

NAPOLEON Judith und Holofernes, Menschen, die sinnvoll töten können und die sinnvoll getötet werden. Ich habe heute morgen einige Dutzend erschießen und einige Tausend internieren lassen. Warum? Um eine Sinnlosigkeit nicht noch sinnloser zu machen. Als Judith Holofernes getötet hat, ist ihr Land frei geworden. Tötest du mich, wird der Unsinn unserer Unfreiheit nur noch größer. Aber den Gefallen tu ich dir nicht. Ich bin in Sankt Helena gewesen. Ich geh mit dir nicht ins Bett. Ich sag's dir zum dritten Mal: Geh und komm mir nicht wieder.

Louis und Plon-Plon führen Jan Hus herein.

PLON-PLON Jan Hus.
LOUIS Er ist gefangen worden.

Marion springt auf.

MARION Jan!

Fällt Hus um den Hals.

NAPOLEON Laßt uns allein.

Plon-Plon und Louis nach rechts hinaus.

Marion geht, ohne daß Napoleon auf sie achtet, nach links hinter den Wandschirm.

NAPOLEON Komm, Jan, iß.

Weist auf den Servierwagen.

NAPOLEON Schnaps? Toast? Butter?

Hus beugt sich über den Servierwagen.

*Hinter dem Wandschirm kommt Marion hervor, nackt,
ein Rasiermesser in der rechten Hand, schlüpft unbemerkt
unter die Laken.*

HUS Geräucherte Forelle, Lachs, Kaviar, kaltes Huhn,
Parmaschinken.

Grinst.

HUS Emmentaler.
NAPOLEON Greif zu.
HUS Ich muß essen. Wenn ich so'ne Menge Speisen seh,
muß ich essen.

*Schiebt den Wagen zum Stuhl vor dem Bett, setzt sich,
greift nach den Speisen, beginnt zu essen.*

NAPOLEON Du bist spät gekommen.
HUS Ihr mußtet mich zuerst finden.
NAPOLEON Kinderleicht. Du selber hast mir die Adresse
gegeben. Sie haben dich dort gefunden, wo ich unter-
tauchen sollte.
HUS Immer noch nicht im Nest?

Ißt.

NAPOLEON Seit achtundvierzig Stunden nicht.
HUS Marschieren sie ein?
NAPOLEON Nein.
HUS Warum hast du mich dann verhaftet?

Ißt.

NAPOLEON Damit sie nicht doch noch einmarschieren.
HUS Ich hab mich an unsere Abmachung gehalten.
NAPOLEON Ein Magazin hast du noch drucken lassen.
HUS Ohne Artikel.
NAPOLEON Einen wirksameren Artikel als die Bilder, wie
    Marion Robespierre zu Tode bumst, hättest du nicht
    schreiben können.
HUS Das kann dir auch noch passieren.
NAPOLEON Die kommt mir nicht mehr unter die Augen.
HUS Prüde?
NAPOLEON Vorsichtig.

Wirft den Hut über die Rampe.

HUS Du hast erschießen lassen.
NAPOLEON Parteifunktionäre.
HUS Unter ihnen zwei meiner wichtigsten Mitarbeiter.
NAPOLEON Die ich eingeschleust hatte, um deine Ge-
    werkschaft zu überwachen.
HUS Und Woyzeck.
NAPOLEON Es ist mir zu riskant geworden, mich von ihm
    rasieren zu lassen.

Hängt seinen Schlafrock an die Wand.

HUS Er war Marions Vater.
NAPOLEON Er war mein Scharfrichter.
HUS Du hast ihn als Werkzeug benutzt.
NAPOLEON Du hast sie als Werkzeug benutzt.
HUS Sein Orden.

NAPOLEON Schmeiß ihn ins Publikum.

Hus wirft ihn über die Rampe.

HUS Für wen bist du eigentlich?
NAPOLEON Für die einzige Lösung.
HUS Die wäre?
NAPOLEON In den nächsten Tagen laß ich von euch Tausende verhaften.
HUS Den Generalstreik kannst du nicht unterdrücken.
NAPOLEON Es wird Tote geben.
HUS Viele Tote.
NAPOLEON Das Volk wird nach und nach seine hoffnungslose Lage akzeptieren.
HUS Das nennst du eine Lösung.
NAPOLEON Die einzige.
HUS Was hast du mit mir vor?

Ißt.

NAPOLEON Du bekommst Hausarrest in der Villa Fouchés.
HUS Laß mich erschießen.

Von rechts kommt Plon-Plon, späht im Zimmer herum, schaut unter das Bett, verschwindet kopfschüttelnd nach links.

NAPOLEON Komisch. Alle wünschen heut, erschossen zu werden.
HUS Noch besser wär verbrennen.
NAPOLEON Das würde dir so passen. Du willst deinen Erfolg von Konstanz wiederholen.

*Napoleon zieht die Weste aus, wirft sie auf den Stuhl mit
dem Rock.*

NAPOLEON Übergieß dich mit Benzin, zünd dich statt
deine Pfeife an; einige Monate Kränze und Kerzen,
aber dann vergißt man dich. Es gibt zu viele Märtyrer
heut, zu viel verbrennen sich selber.

Verschwindet hinter dem Wandschirm.

NAPOLEON Aber als mein Staatsgefangener, Hus, hilfst
du deiner Sache mehr! Man wird's als meine Schwäche
auslegen, als eine Unsicherheit meines Regimes, und
nicht nur meines Regimes, auch als die Unsicherheit
jener, die nun nicht einmarschieren, als ein Riß im
Babylonischen Turm, und der Turm zu Babel braucht
Zeit, um in sich zusammenzusinken. Jahrzehnte, Jahrhunderte.

*Hinter dem Wandschirm werden Hemd, Hose, Unter-
wäsche ins Zimmer geworfen.*

NAPOLEON Meine Aufgabe, Hus, besteht darin, die Welt
zu tragen, die deine, sie zu ertragen.

*Napoleon kommt im Nachthemd hinter dem Wandschirm
hervor und setzt sich in den Fernsehsessel.*

HUS Das kalte Huhn ist prima.
NAPOLEON Beide Aufgaben sind gleich wichtig. Jene des
Atlas und jene des Herkules. Du bist Herkules, wenn
auch ein anderer als jener der Sage. Du machst die Welt
allmählich bewohnbarer durch das Nie-Nachlassen der

Vernunft, die hartnäckig fordert, was selbstverständlich sein sollte, und die im Verlaufe der Jahrhunderte die fixen Ideen und die starren Pläne des Verstandes überwindet, um vor neuen fixen Ideen und starren Plänen zu stehen, und du wirst dich wieder an die Arbeit machen. Weg mit dieser lächerlichen Sonnenbrille.

Wirft sie unter den Fernseher.

NAPOLEON Und ich bin Atlas. Früher verschob ich die Kontinente, türmte die Berge aufeinander und kippte die Ozeane über die Länder, und einmal, in grauer Vorzeit, bin ich dir begegnet. Ich versuchte, die Welt auf deine Schultern zu wälzen. Aber du bist zu klug für mich gewesen. Du hast sie wieder auf meine Schultern zurückgestemmt.

Von links kommt Louis, späht im Zimmer herum, schaut unter das Bett, verschwindet kopfschüttelnd nach rechts.

HUS Der Emmentaler ist phantastisch.

Ißt.

NAPOLEON Aus Wut ging ich sorgloser als je mit ihr um. Dann kam Sankt Helena. Ich begriff, daß die Erde zu kostbar ist für blutbesudelte Titanen. Sie ist deine Aufgabe. Mich wird man immer hassen, weil man sich fürchtet, von der Welt zerschmettert zu werden, laß ich sie fallen; und dich wird man immer lieben, auch wenn du die Ungeduldigen enttäuschst, weil nur deine Hartnäckigkeit die Welt weiterbringt.

HUS Schön geredet, Napoleon. Es ist überaus nobel von dir, uns beiden so wichtige Rollen in der Weltgeschichte zuzumuten. Nun, dich darfst du meinetwegen als Atlas sehen. Als Magister der Freien Künste, Dekan der Philosophischen Fakultät, Rektor der Universität und Prediger an der Bethlehemkirche in Prag weiß ich, daß Atlas unsterblich ist wie dein Ruhm. Aber daß du mir die Rolle eines Herkules anbietest – nein, danke. Zwar hab ich wie dieser den Scheiterhaufen bestiegen, Herkules freiwillig, um ein Gott, und ich unfreiwillig, um Asche zu werden, aber als dein Gefangener in der Villa Fouchés werd ich für immer von meinem Ursprung getrennt. Ich habe verdammt wenig gefordert: ein Jota besseres Leben, ein Jota mehr Freiheit, ein Jota mehr Gerechtigkeit. Ich bin verflucht bescheiden gewesen. Ich habe nur das Mögliche verlangt. Und um dieses Jota, dieses Wenige, Bescheidene, Mögliche zu erreichen, hab ich die Freie Gewerkschaft gegründet und das Mädchen Marion mißbraucht, so wie du Woyzeck mißbraucht hast. Jetzt? Den Krieg hast du vermieden, sie sind nicht einmarschiert, aber Tausende werden eingekerkert und viele erschossen, während ich in einer Luxusvilla verfette wie Luther in Wittenberg. Es gibt kein Jota. Das Wenige ist zuviel, das Bescheidene unbescheiden, das Mögliche unmöglich.

Ißt.

HUS Der Parmaschinken ist trocken. Wir haben uns nichts mehr zu sagen. Geh ins Bett, Napoleon.

Napoleon steht auf.

NAPOLEON Es ist taghell geworden.

HUS Bald Mittag.

NAPOLEON Iß weiter, Jan Hus. Du hast deine Arbeit getan: Du hast gesät. Gute Nacht.

Geht nach hinten, ins Bett.

Hus ißt weiter.

Napoleon schreit auf.

Marion erhebt sich, mit einem blutbesudelten Laken drapiert, das blutige Rasiermesser in der Rechten.

MARION Ich hab ihn getötet. Ich hab Holofernes getötet.

Lichtwechsel

Richelieu taucht hinter dem Paravent auf.

RICHELIEU Ich bin der liebe Gott!

HUS Ich bin Spartakus!

Hus ißt weiter.

ROBESPIERRE Ich hab meine Rede gekonnt!

Woyzeck rennt auf die Bühne.

WOYZECK Ich bin Georg Büchner! Das nächste Mal spiele ich den Danton!

Louis kommt im Ärztekittel.

LOUIS Dr. Affolter! Die Friedli hat den Meili ermordet.

Marx II von links.

MARX II Ich bin Iwan der Schreckliche!

Marx I von rechts.

MARX I Ich bin Platon!

Hinten drei weitere Marxe.

MARX III, IV, V Ein Gespenst geht um in Europa!

Cambronne erscheint.

CAMBRONNE Mein Text, mein Text!

Der Lord wird sichtbar.

LORD TONY I want to play Hamlet.

LOUIS Affolter. Dr. Affolter! Wo ist dieser Idiot von einem Affolter?

Marion ist nach vorne gekommen.

MARION Ich bin Judith!

Krankenpfleger und Schwestern rasen auf die Bühne.

RICHELIEU Ich bin der liebe Gott!

Franklin tritt mit einer Wunderkerze von rechts auf.

Redet ins Publikum.

FRANKLIN Ich hab den Blitzhersteller erfunden.

Ungeheuerer Donnerschlag.

Der Vorhang fällt.

Louis tritt vor den Vorhang.

LOUIS Meine verehrten Patienten, verehrtes Publikum. Als Chefarzt der Klinik Achterloo darf ich Ihnen meine Freude ausdrücken, daß Sie auf unserer Welt, die die Bretter – auf unseren Brettern, die die Welt bedeuten – daß Sie, verehrtes Publikum, zugehört haben, wie unsere Politiker Schauspieler dargestellt, falsch – wie unsere Politiker Patienten – nun, Sie wissen ja, was ich meine. Daß unsere Politiker – Entschuldigung, daß unsere Patienten am Schluß den Schluß eines anderen Stückes gespielt haben, nämlich den Schluß von «Julia und Holofernes» – Entschuldigung, «Judith und Holofernes», mögen Sie, meine verehrten Damen und Patienten, verzeihen. Danke für Ihr Verständnis, danke, danke.

Louis vor dem Vorhang nach links ab.

Vorhang auf

Die Bühne leer. Nur noch der Fernsehsessel steht herum.

Auf einer Bahre Napoleon. Plon-Plon hat sich im offenen Ärztekittel über ihn gebeugt, richtet sich auf.

PLON-PLON Ein guter Mord.

Von links stürzt Louis auf die Bühne, erstarrt.

PLON-PLON Ein echter Mord.

Steigt über Napoleons Leiche.

PLON-PLON Ein schöner Mord. Wir haben schon lange so keinen gehabt.

LOUIS Dr. Affolter! Sie haben mit Ihrer Therapie meine
Klinik in Grund und Boden ruiniert.

*Plon-Plon raucht die Zigarre Richelieus, geht langsam auf
Louis zu und bläst ihm den Rauch ins Gesicht.*

PLON-PLON Ich bin Sigmund Freud.

Eine gewaltige Siegesmusik setzt ein.

Louis fällt in den Fernsehsessel.

*Plon-Plon geht stolz nach links, kehrt sich noch einmal
gegens Publikum, raucht gewaltig, geht nach hinten
rechts ab.*

Vorhang

6. 10. 1983
Friedrich Dürrenmatt

Friedrich Dürrenmatt
im Diogenes Verlag